Encyclopedia of
Animals

Invertebrates · Amphibians · Reptiles

지구상의 동물 탐구 대사전

동물대백과

무척추동물 · 양서류 · 파충류 편

저자 David Alderton · 복선경 옮김

담터미디어

David Alderton은 케임브리지 대학을 졸업한 이후 줄곧 이 분야에 매달려 야생동물에 대해 평생 동안 관심을 가진 전문가이다.
전 세계의 천연 서식지에 있는 다양한 생물들을 연구하면서 광범위하게 두루 여행했다. 동물에 대한 전문 작가로서
그의 책은 6백만 부 이상이 팔렸고 30개 이상의 언어로 출간되었다. 또한 BBC나 디스커버리 채널 그리고 다른 방송사들의
야생동물 주제의 라디오나 텔레비전 프로그램에 참석자와 작가로서 꾸준히 활동하고 있다.
(David는 2008년부터 애완동물과 기타 동물들에 대해서 인기 있는 웹사이트(http://www.pethouseclub.com)를 운영하고 있다.)

옮긴이 복 선 경
우리에게 친숙한 동물이거나 이 책을 통해 처음 만나는 동물들까지, 온갖 포유류, 조류, 파충류, 어류, 곤충, 연체동물 등등
그 동물들을 만나며 때로는 아프리카 대초원으로, 때로는 뜨거운 사막으로 그리고 늪이나 북극 지역까지 동물 탐험 여행을
직접 다녀온 기분이 들 정도로 생생하게 다가왔던 작업이었다. 동물들의 본능과 습성 등에 때론 놀라고 감탄하기도 하며,
인간의 욕심과 지구의 오염으로 멸종해 가는 동물들에게 미안함을 느끼며 지구를 지키는 일에 일조해야겠다는 생각도 하게 되었다.
어린이든 어른이든 이 책을 통해 동물들에 대한 이해를 넓히고, 나아가 이 지구의 미래까지 고민할 수 있는 좋은 계기가 될 것이라 생각한다.
1975년 수원 출생. 1988년 아주대학교 영어영문과 졸업.
1999~2009년 재능교육에서 국내외 영어 교재 개발. 2010년 캐나다 영어 연수. 2011년 현재 영어 교재 개발 중.

동물대백과(1) 무척추동물.양서류.파충류 편 2012년 2월 10일 초판 발행

펴낸곳 담터미디어 펴낸이 이용성 저자 David Alderton 옮긴이 복선경
마케팅 박기원 전병준 박성종 관리 홍진호 조병후
교정 · 편집 전은경 김미애 디자인 wooozooo 등록 제1996-1호(1996.3.5)
주소 서울 중랑구 용마산로79길 35 전화 02)436-7101 팩스 02)438-2141
ISBN 978-89-8492-394-2 (74490) ⓒ 담터미디어 2012

* 책값은 뒷표지에 있습니다.

Encyclopedia of
Animals
Invertebrates · Amphibians · Reptiles

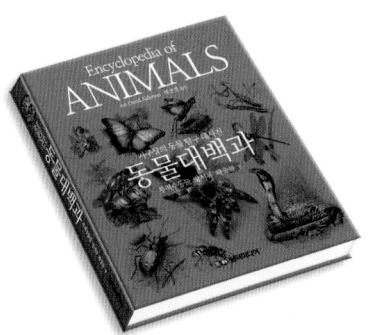

지구상의 동물 탐구 대사전

동물대백과

무척추동물 · 양서류 · 파충류 편

| 차 | 례 | CONTENTS

머리말 Introduction   10

그리즈월드 주머니개구리 Griswold's Marsupial Frog   14

할리퀸두꺼비 Pebas Stubfoot Toad   16

유럽두꺼비 European Toad   18

내터잭두꺼비 Natterjack Toad   20

딸기 독화살개구리 Small Strawberry Dart Frog   22

산파개구리 Common Midwife Toad   24

유럽청개구리 European Treefrog   26

쟁기발두꺼비 Common Spadefoot Toad   28

무어개구리 Moor Frog   30

아메리카 황소개구리 American Bullfrog   32

물거미 Water Spider   34

유럽정원거미 European Garden Spider   36

굽은가시거미 Curved Spiny Spider   38

문짝거미 Trapdoor Spider   40

멕시코 붉은다리거미 Mexican Red-kneed Tarantula   42

검은과부거미(검은독거미) Southern Black Widow   44

게거미 Crab Spider   46

머드퍼피 Common Mudpuppy   48

알파인 살라맨더 Alpine Salamander   50

파이어 살라맨더 Fire Salamander   52

알파인뉴트 Alpine Newt   54

폭탄먼지벌레 Bombardier Beetle   56

그린타이거비틀 Green Tiger Beetle   58

사향하늘소 Musk Beetle   60

칠성무당벌레 Seven-Spot Ladybird   62

큰물방개 Great Diving Beetle   64

사슴벌레 Stag Beetle   66

떡갈잎풍뎅이 Common Cockchafer   68

유럽장수풍뎅이 European Rhinoceros Beetle   70

쇠똥구리 Dung Beetle   72

로즈채퍼(장미꽃풍뎅이) Rose Chafer   74

송장벌레 Gravedigger Beetle   76

미국악어 American Alligator   78

나일악어 Nile Crocodile   80

인도가비알 Gharial   82

집게벌레 Common Earwig   84

집파리 Common House Fly   86

유럽지렁이 Common European Earthworm   88

방패벌레 Shield-Backed Bug   90

꿀벌 Honeybee   92

서양땅뒤영벌 Buff-Tailed Bumblebee   94

행군개미(군대개미) Foraging Ant   96

붉은 산림개미 Red Wood Ant   98

말벌 European Hornet   100

땅벌 Common Wasp   102

터마이트 Termite   104

유럽 푸른부전나비 Common Blue Butterfly   106

번개 오색나비 Purple Emperor   108

왕나비 Monarch Butterfly   110

모포나비 Morpho Butterfly 112

붉은제독나비 Red Admiral Butterfly 114

퀸 알렉산드라 버드윙 Queen Alexandra's Birdwing 116

산호랑나비 Western Tiger Swallowtail Butterfly 118

아폴로 모시나비 Apollo Butterfly 120

해골박각시 Death's Head Hawkmoth 122

황제나방 Emperor Moth 124

사마귀 Praying Mantis 126

개미귀신 Common Antlion 128

황제잠자리 Emperor Dragonfly 130

넓은몸사냥꾼잠자리 Broad-Bodied Chaser 132

필드귀뚜라미 Field Cricket 134

푸른날개메뚜기 Blue-winged Grasshopper 136

중베짱이 Great Green Bush Cricket 138

가랑잎벌레 Leaf Insect 140

식용달팽이 Edible Snail 142

민달팽이 Slug 144

지중해전갈(랑그독전갈) Mediterranean Scorpion 146

목도리도마뱀 Frilled Lizard 148

도깨비도마뱀 Thorny Devil 150

뱀도마뱀(굼벵이무족도마뱀) SlowWorm 152

보아뱀 Boa Constrictor 154

그린아나콘다 Green Anaconda 156

유럽카멜레온 European Chameleon 158

바실리스크이구아나 Plumed Basilisk 160

풀뱀 Grass Snake   162

블랙맘바 Black Mamba   164

동부 산호뱀 Eastern Coral Snake   166

킹코브라 King Cobra   168

토케이 게코 Tokay Gecko   170

아메리카 독도마뱀 Gila Monster   172

바다이구아나 Marine Iguana   174

녹색이구아나 Green Iguana   176

발칸 녹색도마뱀 Balkan Green Lizard   178

벽도마뱀 Common Wall Lizard   180

인도왕뱀 Indian Python   182

싱글백도마뱀 Shingleback Skink   184

코모도왕도마뱀 Komodo Dragon   186

텍사스 방울뱀 Texan Rattlesnake   188

유럽북살모사 European Adder   190

바다거북 Green Turtle   192

늑대거북 Common Snapping Turtle   194

장수거북 Leatherback Turtle   196

붉은귀거북 Red-Eared Terrapin   198

갈라파고스 땅거북 Galapagos Tortoise   200

고퍼거북 Gopher Tortoise   202

기후 지역 전도 Climate Zones   204

찾아보기 Index   206

우리가 사는 이 지구상에 얼마나 많은 종들이 존재해 왔는지를
정확히 아는 것은 불가능하다. 단순하게는 대다수가 존재에 대한
어떤 증거도 남기지 않고 멸종되었기 때문이다. 분명한 것은
전체 수의 아주 작은 퍼센티지―어떤 추정에 의하면 아마도
겨우 1 퍼센트― 만이 오늘날 지구상에 살아 있다는 것이다.

현재까지 약 180만 생물 종들이 동물학자들에 의해 확인되었고
학명을 받았다. 이 중에서 큰 동물들은 극히 소수일 뿐이다.
생명의 형태 중 가장 많은 수는 무척추동물이며
전체의 약 ⅘를 차지한다. 생물 분류에서 식물과 미생물을 무시한다면
아마 생물의 종은 단순한 분류에 그칠 수밖에 없을 것이다.

오늘날까지 그야말로 수백만 종이 여전히 발견되고 공식적으로
발표되어 왔지만 그 반면, 많은 종들이 기록되기도 전에 멸종되는
운명을 맞기도 한다는 것은 충분히 짐작되고도 남는다.
뿐만 아니라 세상에는 지붕 모양으로 우거진 열대우림(열대우림 캐노피)과
해저 같은 특정 지역들이 있는데, 현재 우리는 이런 환경들에 존재하는
수많은 생명 형태에 대한 모호한 평가와 이해만을 가지고 있다.

그러므로 미지의 생물체까지 밝혀낼 수 있는 문명이 앞으로 다가온다면
지구에서 발견되는 생물은 인간이 상상하지 못하는 종류와 분류가
생겨날 수도 있을 것이다.

모든 동물들은 여섯 개의 다양한 주요 분과 또는 등급으로 나누어진다.
Invertebrates(무척추동물), Fish(어류), Amphibians(양서류),
Reptiles(파충류), Birds(조류), Mammals(포유류)가 그 여섯 개의
분류이다. 본 책에서는 이 가운데 무척추동물, 양서류, 파충류의
총 95종을 소개하였다.

Invertebrates-무척추동물

지구상에서 가장 많은 생물그룹인 무척추동물들은 모두 척추, 즉
등뼈가 없는 것으로 구별된다. '무척추동물' 이라는 표현은 종종
'곤충' 과 교체 가능하게 사용된다. 하지만 이것은 잘못된 판단이다.
거미와 같은 많은 무척추동물들은 곤충이 아니라 분할된 몸을
가지고 있는 절지동물이기 때문이다.

무척추동물은 왕성한 번식력으로 대표된다. 그러나
전갈 같은 것들은 적은 수의 새끼를 생산하는 대신 독특하게도
높은 수준의 어버이 양육이다. 또 무척추동물은 척추동물의
먹이 사슬 맨 아래에 있고, 많은 종들의 먹이가 되고 있지만,
어떤 무척추동물들은 독으로 스스로를 방어할 수도 있다.

Amphibians-양서류

물고기 같은 조상으로부터 내려왔다고 믿어지는 이 척추동물들은
뭍으로 첫발을 내딛고 대기를 호흡하는데 도움이 되도록 폐가 발달했다.
또한 이들은 피부를 통해서도 호흡을 한다. 오늘날까지도
양서류는 촉촉하거나 습한 환경을 필요로 하며 이 때문에 이들은
사막이 아니라 나무가 우거지고, 그늘진 곳에서 서식하는 경향이 있다.
생활주기는 다양하나 양서류들은 일반적으로 번식하기 위해
물로 돌아가야 한다. 여기에 낳아진 알들은 올챙이로 부화하고
이 올챙이들은 폐가 기능을 하게 되면 머리의 양 측면에 있는
깃으로 덮인 아가미는 상실하고 생태계의 순환에 따라 다시 또
뭍으로 이동한다.

Reptiles-파충류

파충류는 비늘로 덮여 있으나 환경의 온도에 민감하여 활동 수준을
유지하기 위해 따뜻한 지역에 집중되는 경향이 있다. 어떤 동물들은
부드러운 껍질의 가죽 질감의 알을 낳기도 하지만 보통의 동물들의
알은 딱딱한 껍질이 특징이다. 많은 경우에 부화 온도가 새끼의
성별에 직접적인 영향을 주는 것으로 알려져 있다. 이것은 TSD라고
하는데 온도 의존성 성결정(temperature-dependent sex determination)을
나타낸다. 그러나 개별적인 품종에 따라 온도 영향의 결과도
다양하게 나타난다. 온도에 따라 새끼 수컷이 만들어지고, 또한
다른 품종이 암컷이 되기도 하는 이것은 보호 새끼 암컷의 수를
증가시키는 데에 매우 중대한 결과를 미칠 수 있다.

이제 실제의 모습과 그들의 생태와 습성들을
속속들이 살펴보도록 하자.

그리즈월드 주머니개구리
Griswold's Marsupial Frog

생태 정보
길이 : 5~7cm
성 성숙 : 7개월
발달 시기 : 주머니
안에서 보내는 시간은
2~4개월로 다양하다.
올챙이는 밤에
물속으로 방출된다.
알 수 : 100~130개
수컷이 암컷의 주머니에
직접 알을 낳는다.
서식지 : 습한 삼림과 개간지
먹이 : 다양한 무척추동물
수명 : 2~3년

주머니개구리는 이 특별한 양서류의 특이한 번식 습성으로
설명된다. 암컷이 새끼를 주머니 안에 넣고 다닌다.

일반적인 양서류가 남미의 건조한 푸나 초원에서
산란을 하는 것은 도전이다. 산란을 위해 오랜 시간
물이 고여 있는 지역이 있을지 불확실하기 때문이다.
다행히 주머니개구리는 자신의 알을 부화할 수
있으므로 이 문제를 극복할 수 있다. 이 개구리들은
20,000㎞ 정도의 비교적 제한된 지역에서
발견되지만, 상당히 흔한 편이다. 그리고 그들은
어떤 위협도 없다.

세계 어느 곳에?
누도 데 빠스꼬(Nudo di Pasco)라고
불리는 지역, 페루의 안데스 산맥
중심 지역에서 발견된다.
고도 3000~4000m 사이에서 나타난다.

얼마나 클까?

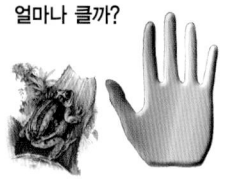

머리

머리는 넓고
형태가 둥그렇다.
먹이를 한입 덥석
물기 좋은,
비교적 커다랗게
벌어진 입이 있다.

눈

둥그런 눈동자를
가지고 있다.

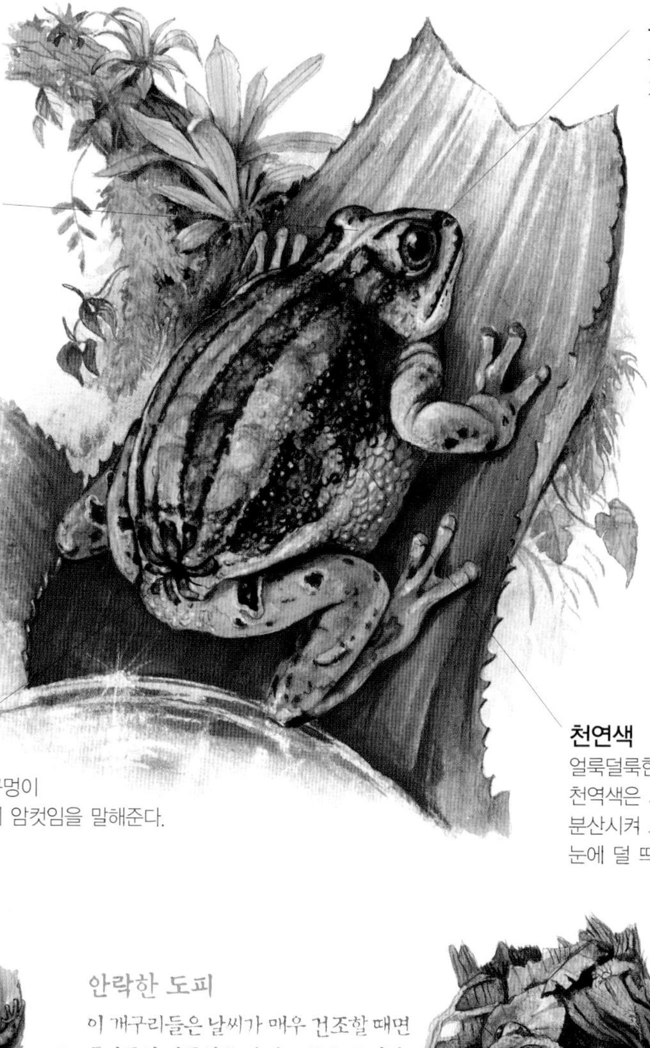

알주머니

등의 아랫부분에 구멍이
있는 주머니는 종의 암컷임을 말해준다.

천연색

얼룩덜룩한 녹색을 띤
천역색은 개구리의 윤곽을
분산시켜 포식자의
눈에 덜 띄게 만든다.

안락한 도피

이 개구리들은 날씨가 매우 건조할 때면
통나무와 나뭇잎들 아래로 몸을 숨긴다.
또한 겨울 추위로부도 대피할 때도
이곳에 몸을 숨긴다.

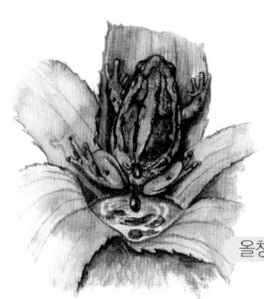

올챙이들이 주머니에서 나온다.

할리퀸두꺼비

Pebas Stubfoot Toad

생태 정보

길이: 2.6~3.9cm. 수컷은
3cm 미만으로 더 작다.

성 성숙: 약 1년

부화 기간: 올챙이는 빨리
부화한다. 알을 낳은 후
바로 1일만에도 가능하다.

알 수: 끈 모양으로 약
350개의 알을 낳는다.

서식지: 열대 우림

먹이: 다양한 무척추동물

수명: 3~4년 정도

작고, 밝은 색의 이 할리퀸두꺼비들은 천성적으로
육생(뭍에서 태어남)이며 낮 동안에 활발히 활동한다.
그들은 통나무 아래 숨어 나뭇잎 더미에서 산다.

두꺼비의 보통색은 주변과 섞여 보인다. 그러나
이 양서류들은 포식자를 혼란시키는 특별한 방법을
가지고 있다. 공격적인 자세로, 등을 활 모양으로
구부리고 발 아래 위험을 암시하는 오렌지색 부분을
드러낸다. 올챙이들은 빠르게 흐르는 물에서 자라는데
입 근처에 큰 빨판이 있어 조류에 휩쓸려 가는 것을
방지한다.

세계 어느 곳에?

남미의 북쪽. 에콰도르, 페루, 브라질의
아마존 강 유역에서 발견되고 가이아나,
프랑스령 기아나 그리고 수리남으로
확대된다. 주로 물 근처에서 나타난다.

얼마나 클까?

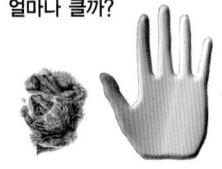

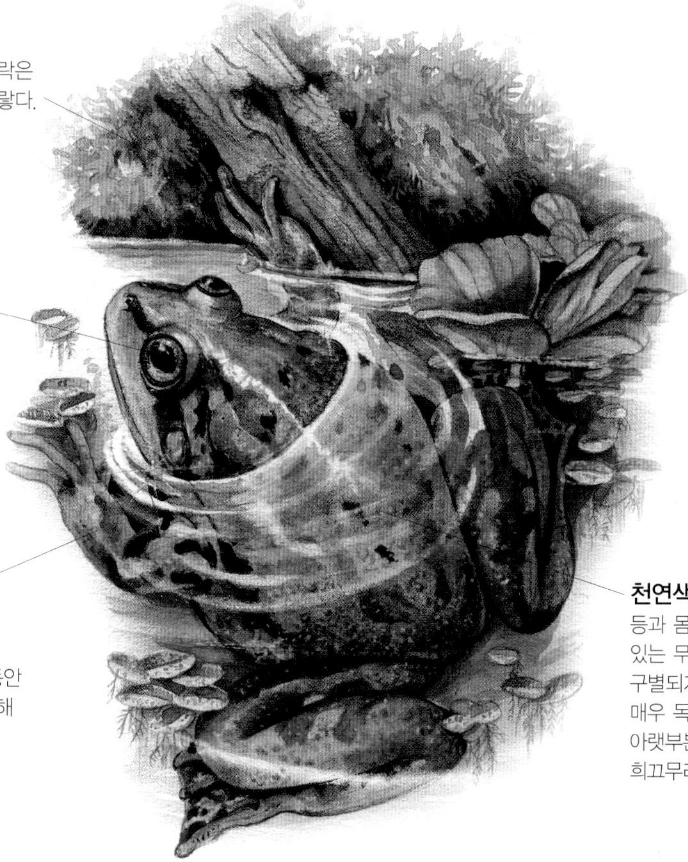

발가락
이 두꺼비들의 발가락은
짧고 끝부분이 동그랗다.

눈
홍채는
금빛이다.

앞다리
수컷들은 산란이
일어나기 전 며칠 동안
강한 앞다리를 이용해
암컷을 꽉 붙잡고
떨어지지 않는다.

천연색
등과 몸의 옆면에
있는 무늬는 개체를
구별되게 하는
매우 독특한 것이다.
아랫부분은
희끄무레하다.

산란
세계의 따뜻하고 습한
곳에 살기 때문에 이 작은
두꺼비들은 연중 어느
때나 산란할 수 있다.

수컷들은 짝짓기를 위해
물 근처에서 기다린다.

유럽두꺼비
European Toad

생태 정보
무게: 5~55g까지 다양하다.
산란기의 암컷들은 무게가
120g까지 나갈 수 있다.
길이: 최장 18cm
성 성숙: 4년
부화 기간: 올챙이들은
8~10일 후에 부화한다.
변태는 2~3개월 걸린다.
알 수: 600~4,000
먹이: 무척추동물 그리고
생쥐와 작은 풀뱀을 포함한
작은 척추동물
수명: 보통 15~20년,
(40년까지도 가능)

사마귀 투성의 외모 때문에 전통적으로 마녀와 연결시켜지는
유럽두꺼비는 비교적 큰 사이즈로 자란다.

슬프게도 많은 두꺼비들이 산란지로 돌아가려고
하다가 매해 도로에서 죽는다(어떤 지역들에서는 이 사망을
줄이기 위해 특별한 두꺼비 건널목-도로 아래의 터널-을 지었다.).
암컷 두꺼비들은 긴 세 줄의 끈 모양으로 알을 낳고
산란 후에는 혼자 사는 생활로 되돌아간다. 그들은
땅거미 질 무렵 활발히 활동하는데 특히 비오는 밤이면
축축한 날씨로 인해 기어나온 민달팽이와 지렁이를
찾는다.

세계 어느 곳에?
아일랜드를 제외한 서유럽 전체에
광범위하게 분포한다. 동쪽으로
중앙아시아까지 미친다.
또한 아프리카 북서쪽 지역에도 나타난다.

얼마나 클까?

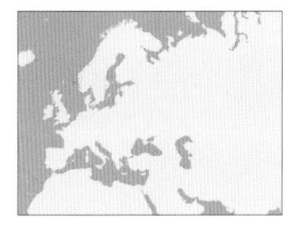

이하선(귀샘)

이 분비선은 포식자들로부터
두꺼비를 보호하는
유독성의 분비물을
생산한다.

천연색

몸 색깔은 회색에서 모래 색조를 거쳐
흑갈색까지 다양하다. 부분적으로
지역에 따라 다르다.

얼굴

주둥이는 모양이 둥글고
턱은 커다란 먹이를 담을 수 있다.

다리

암컷들은 수컷보다 더 긴 앞다리를
가지고 있는 경향이 있다. 수컷은
번식기에 생식혹이라고 불리는 발가락의
불룩한 부분을 발달시킨다.

먹이 잡기

유럽두꺼비들은 길고 끈적이는 혀를 가지고 있어서
먹이를 감싸서 입 안으로 끌어당겨 넣는다.

밝은 주황색 홍채

19

내터잭두꺼비
Natterjack Toad

생태 정보
무게: 평균 20g 정도
길이: 6~7cm
성 성숙: 2~3년
부화 기간: 7~12일.
날씨가 추우면 부화가
더 오래 걸린다.
알 수: 최대 2,600개
변태는 10주 걸린다.
먹이: 민달팽이와 지렁이
등 다양한 무척추동물.
겨울에는 동면하고
따뜻한 달에만 먹는다.
수명: 최대 12년

짝짓기 동안 이 두꺼비들의 큰 울음소리를 들을 수 있다.
수컷들은 목적을 위해 턱 아래 있는 울음 주머니를 팽창시킨다.

암컷들은 늦봄과 초여름 동안 여러 번, 여러 줄의 알을
생산하는데 수컷은 암컷의 등에 달라붙어 수정시킨다.
그들은 종종 임시 웅덩이를 선택해서 더위를 피한다.
더운 날씨에 물이 증발하면 올챙이들은 어른 두꺼비로
변태하기 전에 죽는다. 사냥은 밤에 한다.

세계 어느 곳에?
북유럽 전체에 걸쳐 적합한 서식지들,
보통 히스가 무성한 황야와 모래 지역에서
발견된다.

얼마나 클까?

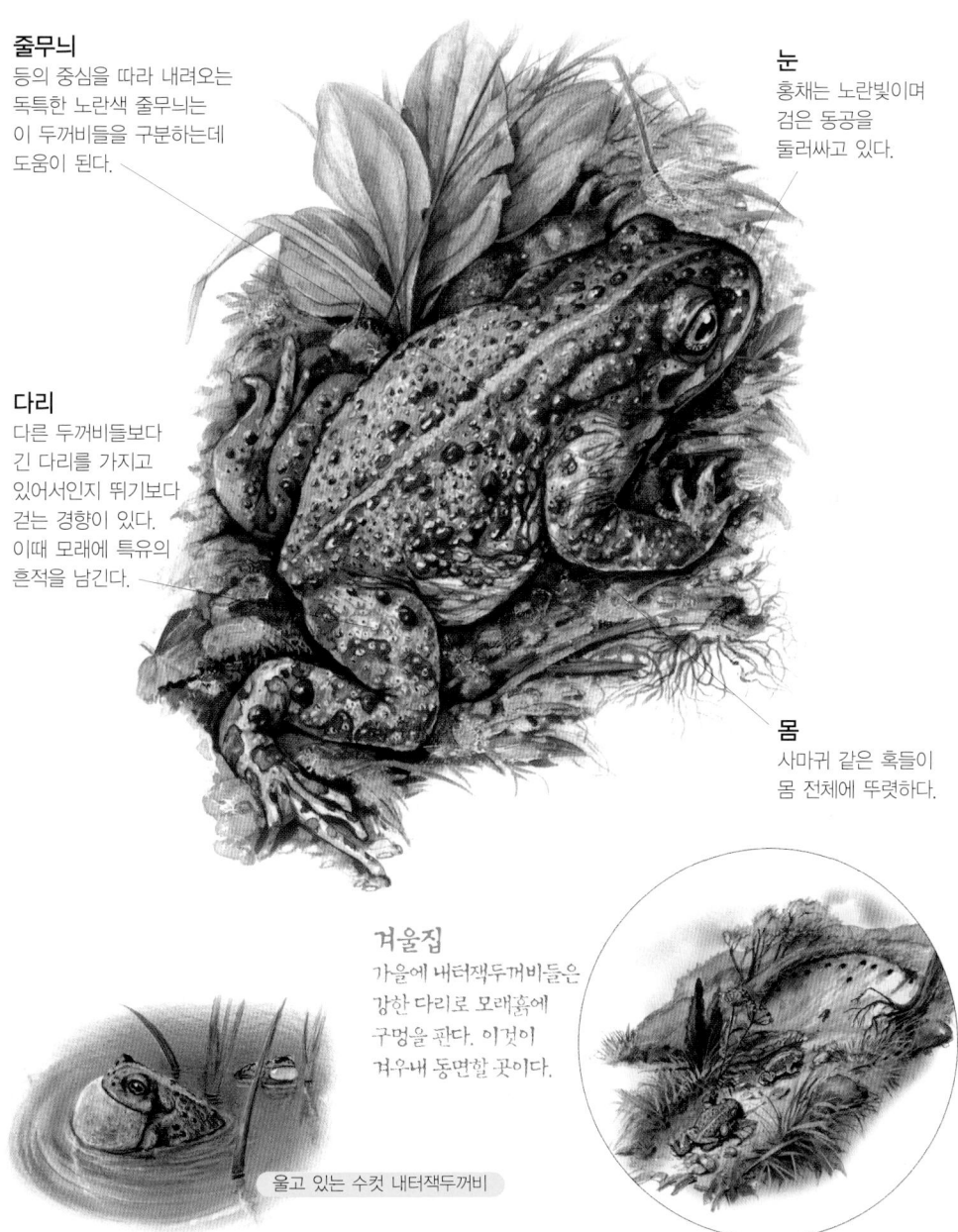

줄무늬
등의 중심을 따라 내려오는
독특한 노란색 줄무늬는
이 두꺼비들을 구분하는데
도움이 된다.

눈
홍채는 노란빛이며
검은 동공을
둘러싸고 있다.

다리
다른 두꺼비들보다
긴 다리를 가지고
있어서인지 뛰기보다
걷는 경향이 있다.
이때 모래에 특유의
흔적을 남긴다.

몸
사마귀 같은 혹들이
몸 전체에 뚜렷하다.

겨울집
가을에 내터잭두꺼비들은
강한 다리로 모래흙에
구멍을 판다. 이것이
겨우내 동면할 곳이다.

울고 있는 수컷 내터잭두꺼비

딸기 독화살개구리
Small Strawberry Dart Frog

생태 정보
길이: 1.7~2.4cm
성 성숙: 9개월
부화 기간: 올챙이는
5~15일 후 부화한다.
변태는 6~8주 걸린다.
산란 수: 3~17개 사이.
축축한 지역의 산림 바닥에
낳는다. 올챙이들은 암컷에
의해 작은 저수지로 옮겨진다.
서식지: 열대 우림
먹이: 다양한 종류의 작은
무척추동물, 특히 개미.
수명: 3~5년

타고난 선명한 색은 보통 경고 신호로 작용한다.
딸기 독화살개구리들은 포식자들로부터 스스로를 보호하기 위해
피부에 강력한 독소를 가지고 있다.

이 작은 개구리들의 외관은 30가지 이상의 다양한
색 변종(모프)이 발견될 정도로 다양하다. 이것은
특정 서식지와 연관이 있고, 산 크리스토발 모프의
경우처럼 지역의 이름을 따서 명명될 수도 있다.
색의 범위는 다양하여 어떤 모프들은 다른 것들과
외관이 완전히 다를 정도다. 예를 들어 파나마 개구리의
형태는 빨간 무늬가 전혀 없고, 몸에 갈색 무늬가
있는 노란색이다.

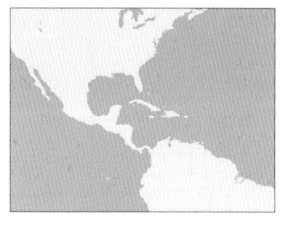

세계 어느 곳에?
중앙아메리카의 니카라과, 파나마,
코스타리카의 일부 지역에 나타난다.
또한 그 지역의 앞바다에 있는
다양한 섬들에서도 발견된다.

얼마나 클까?

독

최근의 연구는
개구리의 치명적인
독소는 자신의
몸에서라기보다
그들이 먹는
진드기들로부터
나온다는 것을
보여주었다.

눈

숲의 어둠 속에서
잘 볼 수 있도록
눈이 비교적 크다.

발

발 끝부분의
부풀은 발가락살은
근육이 발달한
허벅지와 함께 개구리가
기어오르는 것을 돕는다.

모정 보호

암컷은 올챙이를 먹이기 위해
무정란을 가지고 파인애플과
식물의 꽃받침으로 돌아온다.
각 올챙이는 따로따로 길러진다.

발 밑면 확대 보기

23

산파개구리
Common Midwife Toad

생태 정보
길이: 최장 5.5cm. 보통은
암컷이 수컷보다 더 크다.
성 성숙: 2년
부화 기간: 3~6주. 겨울 동안
올챙이로 남아 있다가 이듬해
봄이 되어야 변태한다.
알 수: 산란마다 약 50개까지
서식지: 물 근처.
모래 지역부터 바위가 많은
산악 고지대까지.
먹이: 민달팽이, 지렁이를
포함한 다양한 무척추동물
수명: 7~10년

부화되지 않은 알들은 수컷이 등에 알을 모아 가지고
올챙이로 부화할 때까지 그렇게 다닌다.

수컷 산파개구리가 알을 가지고 다니는 이상한 습성은
서리에 의해 알이 파괴되는 것을 방지하기 위한
방법으로 발달해 왔을 것이다. 서리는 얼음이 되면서
물속에 있는 알을 얼어 죽게 할 수 있다. 이것은 또한
암컷들이 봄과 여름 동안 더 자주 산란할 수 있도록
도와주는 역할이기도 하다. 이러한 생존 방법 덕분에
1904년 영국에 산파개구리가 도입된 후 개체군이
살아남았다.

세계 어느 곳에?
포르투갈, 스페인, 북쪽으로 프랑스를 거쳐
벨기에와 네덜란드까지. 룩셈부르크, 독일,
스위스에서도 나타난다. 영국에 도입되었다.

얼마나 클까?

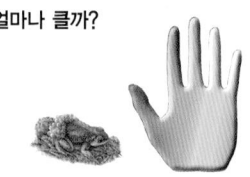

알 덩어리
수컷들은 최대 세 번의 산란에서 나온 알을
동시에 가지고 다닐 수 있다(150개 정도).

외관
전체적으로 회색이며
빨간색 사마귀 같은 종기들이
대게 몸의 측면에 뚜렷하다.

고막
눈 뒤쪽의 이 동그란 부분은
개구리의 귀 위치를 나타낸다.

눈
눈은 꽤 크며 수직으로 기다란
틈 같은 동공이 있다.

위험한 존재
올챙이들은 잠자리 유충과
다른 무척추동물 포식자들을
만나지만 끝까지 살아남은
올챙이들은 9cm까지
자랄 수 있다.

짝짓기 습성

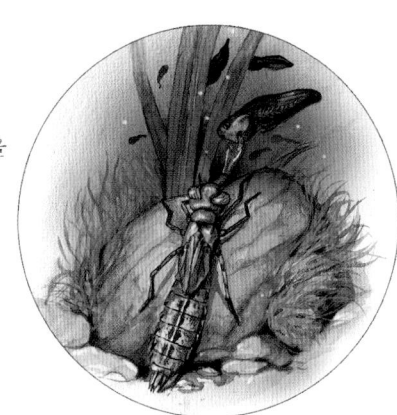

유럽청개구리
European Treefrog

생태 정보
길이: 3~5cm.
크기에 있어 성별 간
두드러진 차이는 없다.
성 성숙: 1년
부화 기간: 약 3주. 변태는
약 3개월 후에 완성된다.
알 수: 총 200~2,000.
작은 무더기로 낳는다.
서식지: 물 근처의
비교적 탁 트인 시골
먹이: 파리를 포함한
다양한 무척추동물.
수명: 평균 3~5년

유럽 청개구리는 유럽의 두 가지 종의 청개구리 중 가장 흔하다.
하지만 북부 지역에서는 이제 절멸위기에 처해 있다고 간주된다.

유럽 청개구리들은 빽빽한 삼림지보다는 축축한 곳에서
발견된다. 갈대와 다른 수생식물들의 잎 위에서 편안히
지내다가 방해를 받으면 물속으로 뛰어내린다.
수컷들은 번식기가 시작될 때 우는데 마치 서로 노래로
경쟁하듯 오리 울음소리와 닮은 소리로 꽥꽥 합창한다.
이 청개구리들은 겨울에 동면한다.

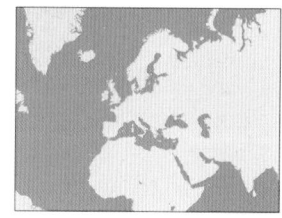

세계 어느 곳에?
유럽 본토(스페인 남동부와 프랑스 남부 제외)를
통과해 아래로 카스피 해 주변까지,
북쪽으로 덴마크까지. 그러나
영국제도까지는 안 미친다.

얼마나 클까?

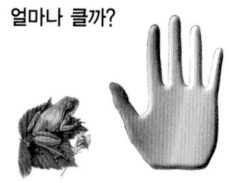

천연색
색은 개구리의 주변 환경과 기분을
반영하며 매우 다양하다. 수컷들은
목구멍 아래 갈색빛을 띠는 노란색
울음주머니를 가지고 있다.

무늬
눈을 통과해
이어지는 검은
줄무늬는
연한 갈색에서
검정색까지
다양하다.

위장
나뭇잎에 더
효과적으로
조화되기 위해
낮게 등을
구부리고 앉는다.

발가락
발가락 끝에 확대된
둥글납작한 부분은
부착력이 있어
개구리가 잘 기어오를
수 있게 돕는다.

살아남기
근육이 잘 발달한 뒷다리는 이 청개구리들이
잘 뛰어오르게 하여 왜가리 같은 포식자들을
피할 수 있게 한다.

몸의 아랫면은 희끄무레한 색이다.

27

쟁기발두꺼비
Common Spadefoot Toad

생태 정보
길이: 5~10cm
성 성숙: 1년 미만
부화 기간: 부화는 2~3일
계속되며 올챙이들은 3주
미만으로 빨리 변태한다.
알을 낳는 임시 웅덩이에
먹이가 부족하면 동족끼리
서로 잡아먹는다.
알 수: 10~500. 산란은
큰 비 이후에 일어난다.
서식지: 침수된 지역의
모래 토양
먹이: 무척추동물들. 작은
도마뱀들을 잡아먹기도 한다.
수명: 최대 13년

탁 트인 시골에 산다는 것은 이 두꺼비가 포식자들의 눈에 띄기
쉽다는 것을 의미한다. 그들의 뒷다리는 이런 위험에서
탈출할 때 재빨리 굴을 파기에 알맞다.

이 두꺼비들의 독특한 특징들 중 하나는 포식자들을
막는 방법으로 마늘과 비슷한 불쾌한 냄새의 분비물을
생산하는 능력이다. 그래서 마늘 두꺼비로도 알려져
있다. 또한 비명을 질러 포식자를 깜짝 놀라게 해
두꺼비를 떨어뜨리게 하고 안전한 곳까지 굴을 파
도망친다. 도전을 받으면 더 크고 더 위협적으로
보이기 위해 몸을 팽창시킬 수 있다.

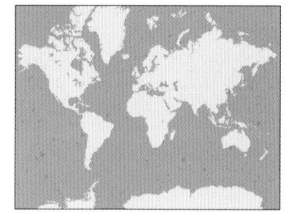

세계 어느 곳에?
분포는 프랑스 동부로부터 중앙 유럽을
거쳐 스웨덴의 남부까지 확장된다.
동쪽으로 아시아의 서쪽 지역을 통해
이란까지 이어진다.

얼마나 클까?

천연색
누르스름하고 갈색을 띠는 다양한 무늬는
모래 지역이나 황야 지대의 서식지에서
이 두꺼비들을 숨기는데 도움이 된다.

얼굴
크고 둥그런 턱은
지렁이 같은 먹이를
꽉 붙잡는데 이용된다.

발
두꺼비가 땅에 굴을 파기 위해
사용하는 소위 '가래'는 각 발의
안쪽 표면에 숨겨져 있다.

피부
피부는 건조하고
사마귀 같은 두꺼비과의
두꺼비들보다는
개구리 피부와 유사하여
촉촉해 보인다.

보이지 않는 곳
쟁기발두꺼비는 곤두박질하여 땅을 파는 대신에
계속 위험을 경계할 수 있도록 뒤로 굴을 판다.

뒷다리의 쟁기발

무어개구리
Moor Frog

생태 정보
길이: 4~6.5cm
성 성숙: 2~5년. 암컷들이
일반적으로 성숙이 더 느리다.
부화 기간: 2~3주. 수온에
따라 다르다. 페해(수소이온
농도지수) 또한 영향을 준다.
알 수: 3월과 4월 사이에
1,000~2,000개를 낳는다.
변태는 2~3개월 지속된다.
서식지: 보통 늪과 연못이
있는 황야 지역
먹이: 주로 육생 무척추동물들.
산란 때는 먹지 않는다.
수명: 11년까지 산다고
밝혀져 있다.

이 종의 산란지는 봄에 활기를 띤다. 수백 마리의 개구리들이
이 짧은 기간을 위해 모인다.

무어개구리는 적응력이 강한 종이다. 늪 같은
땅바닥이 있는, 탁 트인 시골에서 흔히 마주친다.
목초지와 정원, 그들의 분포 구역의 북쪽에 있는
툰드라 지역에서도 볼 수 있다.
우랄 산맥에서 6월에서 9월 사이에 활발히 활동한 후
겨울 동안은 더 남쪽으로 이동해 11월에서 2월까지
동면한다.

세계 어느 곳에?
유럽의 북부와 동부에서 나타난다.
서쪽으로는 알자스로부터 남쪽으로는
크로아티아와 루마니아 지역까지 이르며
시베리아까지 미친다.

얼마나 클까?

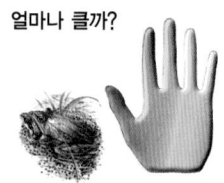

암컷 색
암컷들은 봄에 더
어두운 갈색 색조를
띠는 경향이 있다.

수컷 색
수컷의 외관은
산란기 동안
변형되어
이 시기에는 종종
파란색이 된다.

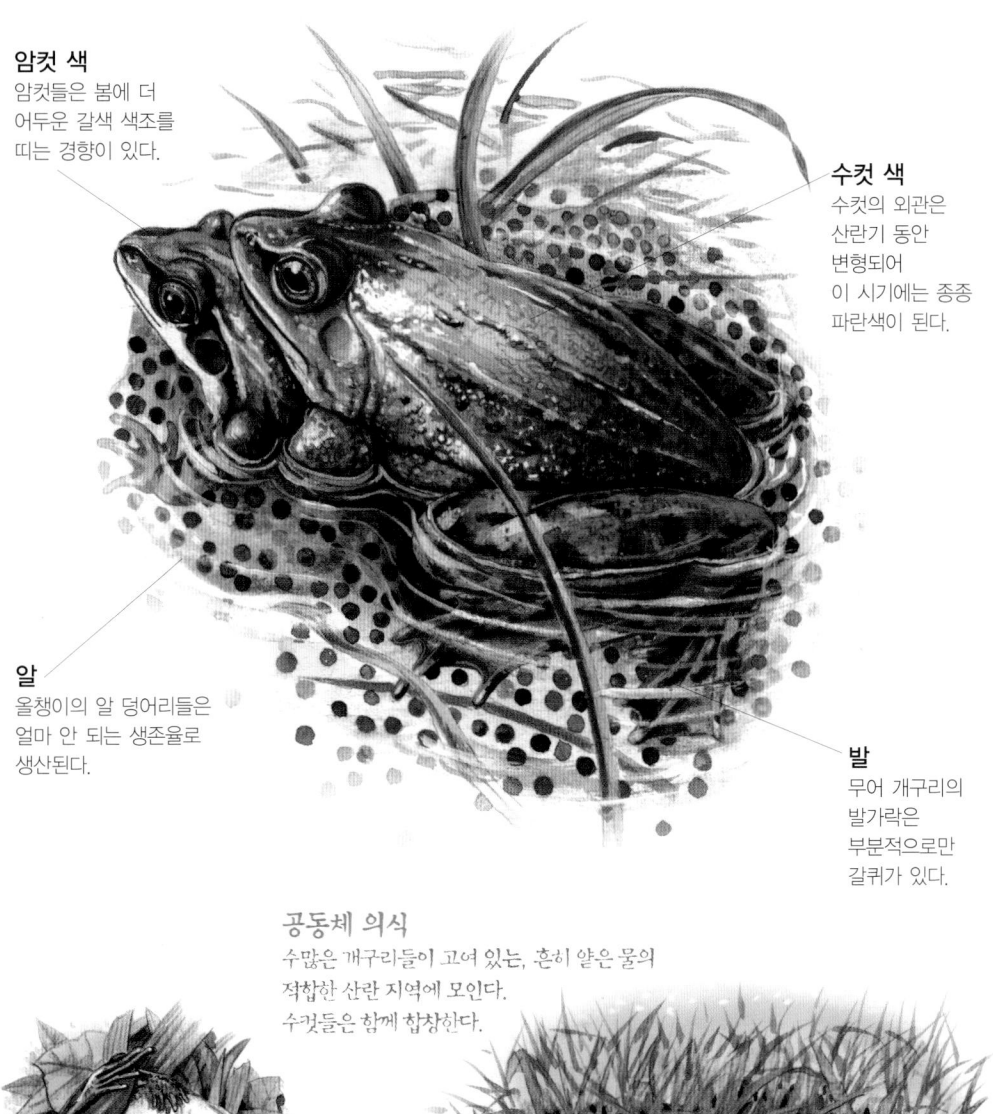

알
올챙이의 알 덩어리들은
얼마 안 되는 생존율로
생산된다.

발
무어 개구리의
발가락은
부분적으로만
갈퀴가 있다.

공동체 의식
수많은 개구리들이 고여 있는, 흔히 얕은 물의
적합한 산란 지역에 모인다.
수컷들은 함께 합창한다.

몸의 하얀 밑면

아메리카 황소개구리
American Bullfrog

생태 정보
무게: 최대 750g
길이: 20cm.
암컷이 수컷보다 더 크다.
성 성숙: 3~5년
부화 기간: 평균 3~5일.
추운 날씨에는 더 길다.
알 수: 한 번의 산란에
40,000개까지 낳는다.
먹이: 무척추동물과
작은 척추동물을 사냥한다.
수명: 야생에서 8~10년,
사육되어 최대 16년.

적응이 빠른 이 개구리는 북미의 같은 과 중 가장 큰 구성원이다.
그리고 이제 세계의 다른 지역들에도 정착했다.

수컷들은 봄에 황소의 울부짖는 소리와 유사한
울음소리를 반복적으로 낸다. 경쟁자들이 영역에
들어오지 못하게 위협하고 암컷들을 유인하기 위한
의도이다. 산란 시, 수컷은 자기의 앞다리로 암컷의
앞다리 앞쪽을 꽉 잡는다. 올챙이들은 대식가이며
그래서 더 작은 것들은 동족에 의해 잡아먹히기도 한다.
아메리카 황소개구리 올챙이들이 개구리로 변하는
데는 최대 3년까지 걸린다.

세계 어느 곳에?
캐나다의 남동부, 미국 중부와 동부.
아래로는 남미까지 대륙을 가로질러
더 광범위하게 퍼져 왔다. 유럽과
아시아 지역들에 유입되었다.

얼마나 클까?

천연색
색은 다양하다. 개체와 온도에 따라 다르다.
추울 때는 색이 짙어진다.

입
넓은 구멍은
황소개구리들이
커다란 먹이를
먹게 해 준다.

뒷다리
뒷다리는 이 경우에서처럼
보통 줄무늬가 있다.

고막
이 둥그런 부분은
수컷에서는 눈 크기의 두 배이나
암컷의 눈 크기와는 일치한다.

앞으로 맹렬히 나아가기
이 황소개구리들은 물 근처에 머문다. 그리고
어떤 위험의 기미가 보이면 강력한 뒷다리로
물속으로 다시 뛰어든다.

짝짓기

물거미
Water Spider

생태 정보
길이: 0.9~1.5cm,
예외적으로 수컷이 종종
암컷보다 큰 것도 있다.
성 성숙: 약 6개월 정도
부화 기간: 평균 3주 정도
알 수: 30~70개.
암컷의 종(종 모양의 공기방울)
윗부분에 낳는다.
서식지: 물속, 수초 주변
먹이: 작은 벌레 유충,
하루살이류, 애벌레, 물진드기
같은 작은 수생 생물들
수명: 최대 약 2년

공기를 흡입하지만 수생인 이 거미들은 완전히 물속에 산다.
과거의 잠수부들이 사용했던 대로 공기를 얻는 방법을
발달시켜 왔다.

물거미들은 종 모양의 공기방울 안에 숨어 있다.
매복했다가 먹이를 습격하는 포식자로부터 은신처로
사용하는 것이다. 때때로 종 안에 채울 공기(산소 공급)를
얻으러 수면 위로 올라오지만 수중의 삼투압 때문에
이산화탄소는 확산되어 나오고 산소는 주위의 물로부터
종 안으로 들어오므로 불필요한 작업이기도 하다.
거미들은 종이 휩쓸려가지 않도록 고요한 물속에 산다.

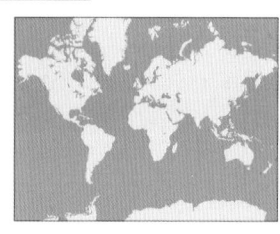

세계 어느 곳에?
이 거미들은 유럽 전역과 아시아 북부
지역에 널리 분포되어 있다. 아프리카,
사하라 사막의 북부에서도 나타난다.

얼마나 클까?

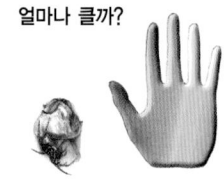

종(Bell)
이 구조물은
거미줄을 사용해서
지어지며 수초에
매달려 있다.

천연색
이 거미들은
물 밖에서는 색이
벨벳 회색이나
물속에서는 주위의
공기층이 굴절되어
은빛으로 보인다.

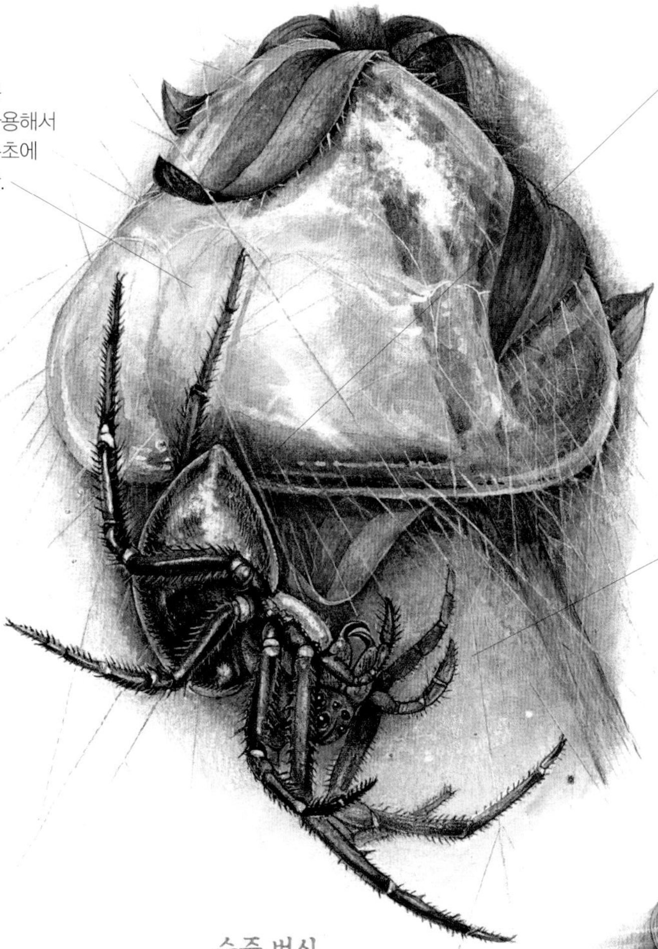

털
털은 거미의 몸 둘레에
공기쿠션을 끌어모으는데
기여하며 생명유지에
필수적이다.

수중 번식
수컷은 암컷의 종 옆에 종을 짓고
터널을 뚫고 들어가 암컷에 합류한다.
그리고 나서 암컷은 여기에
알을 낳는다.

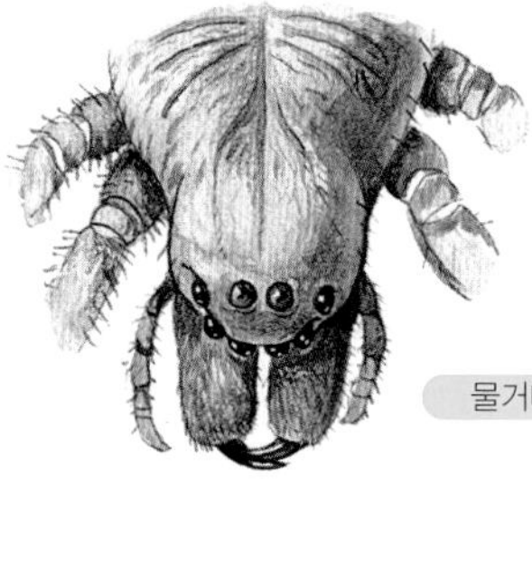

물거미의 입 부분

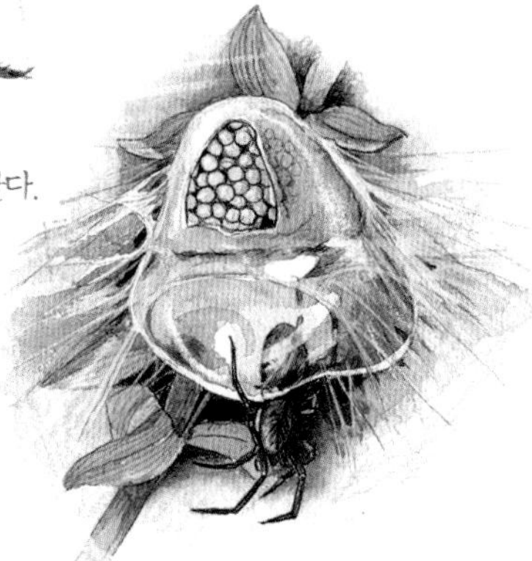

유럽정원거미
European Garden Spider

생태 정보
길이: 수컷 0.4~0.8cm,
암컷 1~1.3cm
성 성숙: 4개월
부화 기간: 약 9개월.
영국에서는 늦여름에 알을
낳고 5월경 부화한다.
알 수: 약 500.
난낭 안에 알을 낳는다.
서식지: 정원 그리고
개방된 삼림지
먹이: 파리, 말벌, 벌, 나비
등 중간 크기의 날벌레들
수명: 1~2년, 암컷은 알을
낳은 직후 죽는다.

이 종은 천체 웹 거미과의 구성원이다. 그들의 커다란 거미줄은 종종 덤불 사이에 지어지며 가을에 특히 눈에 잘 띈다.

믿을 수 없이 민첩한 유럽정원거미는 거미줄 가운데 또는 그 주변의 나뭇잎 아래에 잠복해서 기다린다. 거미줄에 접촉하는 어떤 동물에게라도 즉시 반응하여 거미줄을 따라 달려와 독을 주입하고 그 생물체를 거미줄에 묶어 제압한다. 도망갈 기회는 없다. 그러나 다음번에는 거미 또한 도마뱀, 양서류들뿐만 아니라 새들에게 먹이가 될 수도 있다.

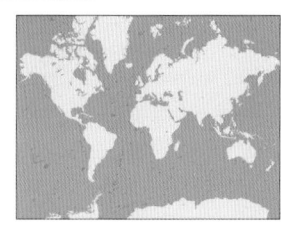

세계 어느 곳에?
유럽에 광범위하게 분포되어 있다. 또한 캐나다와 미국 북서부에서 뉴잉글랜드와 남동부 지역에 걸쳐 북미에도 나타난다.

얼마나 클까?

복부
크고 불룩한 외모를 가지고 있다. 배경색은
옅은 노란색에서 진회색까지 다양하다.

흰색 반점
거미의 복부에는
십자가 형태로 배열된
다섯 개의 하얀색
반점이 있다.

다리
세 번째 쌍의 다리는
화려하게 장식된
거미줄을 짓는데
특히 중요하다.

눈
두 쌍의 작은 겹눈이
거미의 머리에 있다.

매달리기
거미줄은 주변의 다양한
지점에 안전하게 묶여 있다.
또 식물의 잎보다는
줄기에 매달려 있다.

위협을 받으면 이 거미들은 고개를 쳐든다.

굽은가시거미
Curved Spiny Spider

생태 정보
길이: 가시의 끝에서부터
최대 3cm, 암컷이 더 크다.
성 성숙: 2~5주
부화 기간: 2주 이내
알 수: 100~260
서식지: 삼림 지역
먹이: 거미줄에 들어오는 작은
파리들과 기타 무척추동물들
수명: 최대 8주. 암컷은
알을 낳은 후에, 수컷은
짝짓기 이후 곧 죽는다.

기묘하고 다채로운 색의 이 거미는 독특한 형태 때문에
'뿔거미'라고도 불린다. 삼림 지역의 물 근처에 나타난다.

이 이상하게 생긴 거미들은 관목에서 발견되고
전형적인 천체 모양의 거미줄을 짓는다. 복부 주위에
가시가 있어 제 몸을 보호하며 전체적인 몸 형태는
평평하다. 긴 뿔은 위장을 할 때 요긴하다(거미의 윤곽을
분산시켜 죽은 초목 조각처럼 보이게 한다.).
이런 거미류들은 새들의 먹이가 되기 쉽다.
또 특이한 수집품으로써 받침대로 받쳐놓은 형태로
팔리기도 한다.

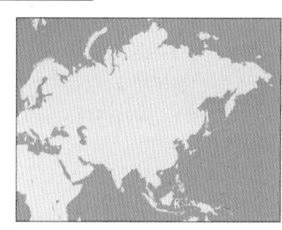

세계 어느 곳에?
아시아의 남쪽 지역. 인도, 스리랑카,
미얀마에서부터 동쪽으로 싱가포르,
태국, 그리고 인도네시아를 거쳐
동말레이시아까지 분포 범위가 확장된다.

얼마나 클까?

뿔
이 길고 딱딱한 돌기는
복부를 덮고 있는
형형색색 판의
각 측면에서부터
뻗어 나온다. 때때로
한 개 또는 두 개 다
부러질 수도 있다.

돌기
이런 형태의 돌기는
세상에서 유일하게
이 거미에게만 있다.
그것은 거미의 몸이나
사지보다 더 길다.

천연색
빨간색과 검은빛을
띠는 갈색의 조합.
복부를 보호하는
방패꼴의 보호물
위에 뚜렷하게
우묵한 곳이 있다.

복부
복부의 선명한 색은
거미의 작은 머리로부터
주의를 돌린다.

천체 거미줄
거미줄은 지름이 91cm 이상에
이른다. 거미줄의 형태는
그것을 지은 종을 나타낸다.

알주머니는 나뭇잎의 밑면에 붙어 있다.

문짝거미

Trapdoor Spider

생태 정보

길이: 1.6~2.3cm.
암컷이 더 크다.
성 성숙: 1년 이내
부화 기간: 새끼는 어미의
굴에서 부화하고 한동안
거기서 산다.
알 수: 50~100 정도
서식지: 굴이 쉽게 파질 수
있는 지역
먹이: 더 큰 무척추동물들
수명: 대략 1~3년 정도

이 거미과는 큰 거미줄을 짓지 않고 몸을 숨기고 매복했다가 먹이를 습격하는 수많은 다양한 그룹 중의 하나에 해당한다.

이 거미들의 굴 입구는 단순히 벌레구멍처럼 보인다. 굴의 형태는 지하에서 뒤쪽으로 기울어져 있는데 구조물에 내부 문이 또 하나 있어 심하게 비가 오는 기간 동안 홍수로 떠내려갈 가능성을 줄인다. 수많은 거미들이 종종 가까이 살기도 하며 집 정원에서는 물론 삼림 지역에서도 볼 수 있다.

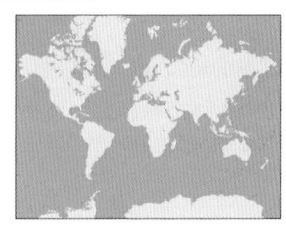

세계 어느 곳에?

남미의 북서부와 남부 지역들, 남아프리카와 마다가스카르, 이베리아 반도 극북을 제외한 아시아, 호주와 뉴질랜드

얼마나 클까?

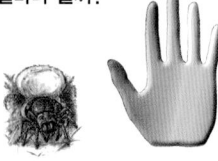

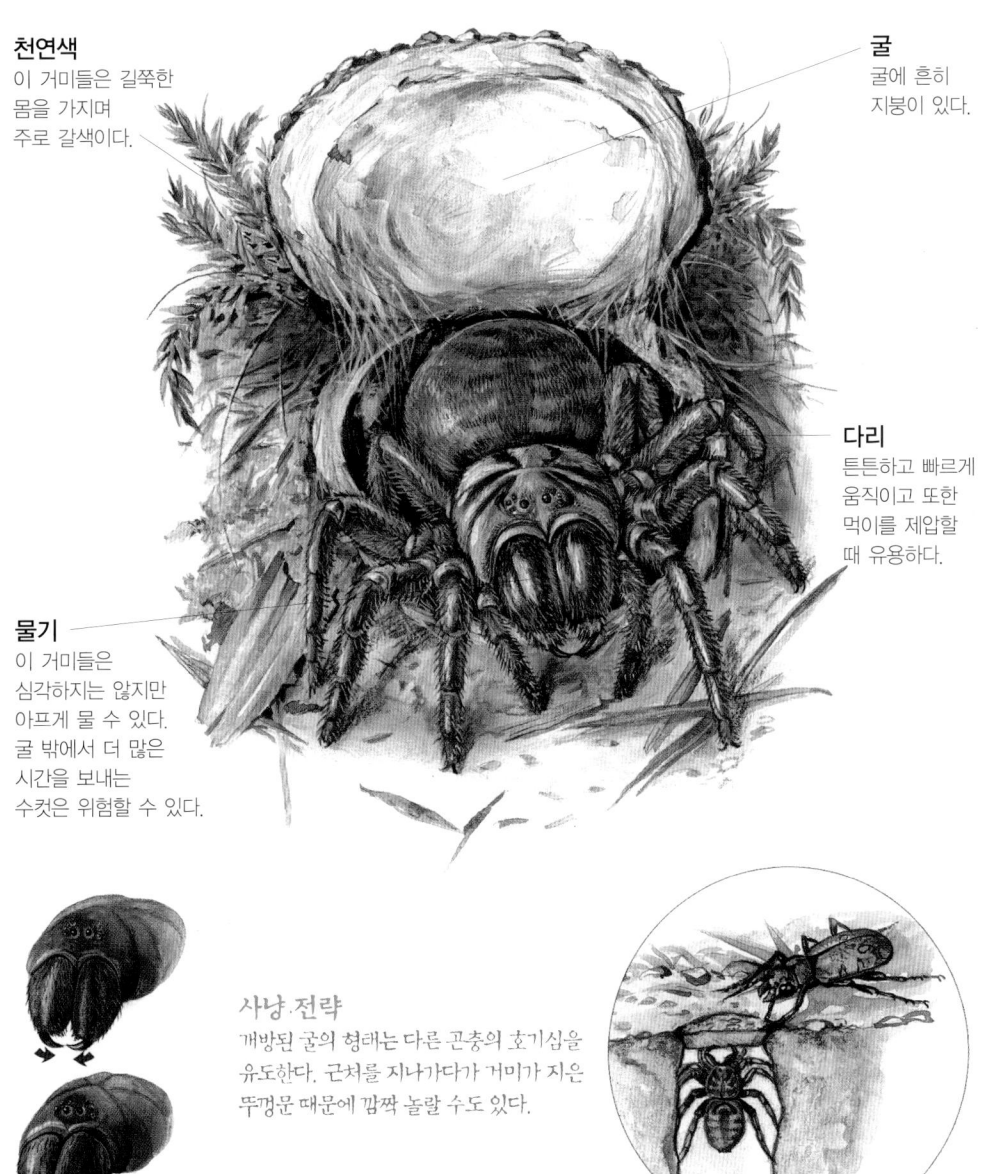

천연색
이 거미들은 길쭉한
몸을 가지며
주로 갈색이다.

굴
굴에 흔히
지붕이 있다.

다리
튼튼하고 빠르게
움직이고 또한
먹이를 제압할
때 유용하다.

물기
이 거미들은
심각하지는 않지만
아프게 물 수 있다.
굴 밖에서 더 많은
시간을 보내는
수컷은 위험할 수 있다.

사냥 전략
개방된 굴의 형태는 다른 곤충의 호기심을
유도한다. 근처를 지나가다가 거미가 지은
뚜껑문 때문에 깜짝 놀랄 수도 있다.

이 거미들은 먹이를 독으로 제압한다.

41

멕시코 붉은다리거미
Mexican Red-kneed Tarantula

생태 정보
무게: 27~90g
길이: 12.7~14cm
성 성숙: 5~7년
부화 기간: 2~8주, 2~3주가
되면 새끼가 분리된다.
알 수: 약 400개. 암컷에 의해
알주머니에 넣는다.
먹이: 무척추동물, 양서류,
설치류, 작은 새들을 사냥한다.
수명: 수컷은 5년 정도
암컷은 25~50년 정도

타란툴라는 태생적으로 나무 위에서 사는 동물이고 우림에서
살지만, 멕시코 레드니는 매우 건조한 환경에서 사는 육생종이다.

텃세가 강하고 혼자 잘 다니는 이 커다란 거미들은
지하의 굴속에서 산다. 이곳의 습도는 굴 밖보다 훨씬
더 높다. 이슬이 매일 입구에서 만들어져 타란툴라에게
최소한의 수분을 제공한다.
그들은 어둠을 틈타 사냥한 먹이를 굴로 끌고 간다.
다리 끝부분은 그들이 사는 어두운 세계에서 훌륭한
감각 통찰력을 준다.
암컷은 우기 이후에 굴에 알을 낳는다.

세계 어느 곳에?
중앙아메리카 멕시코의 태평양 연안에
한정되어 있으며 관목지와 사막에 나타난다
현재 그들의 서식지는 점점 파괴되고 있다

얼마나 클까?

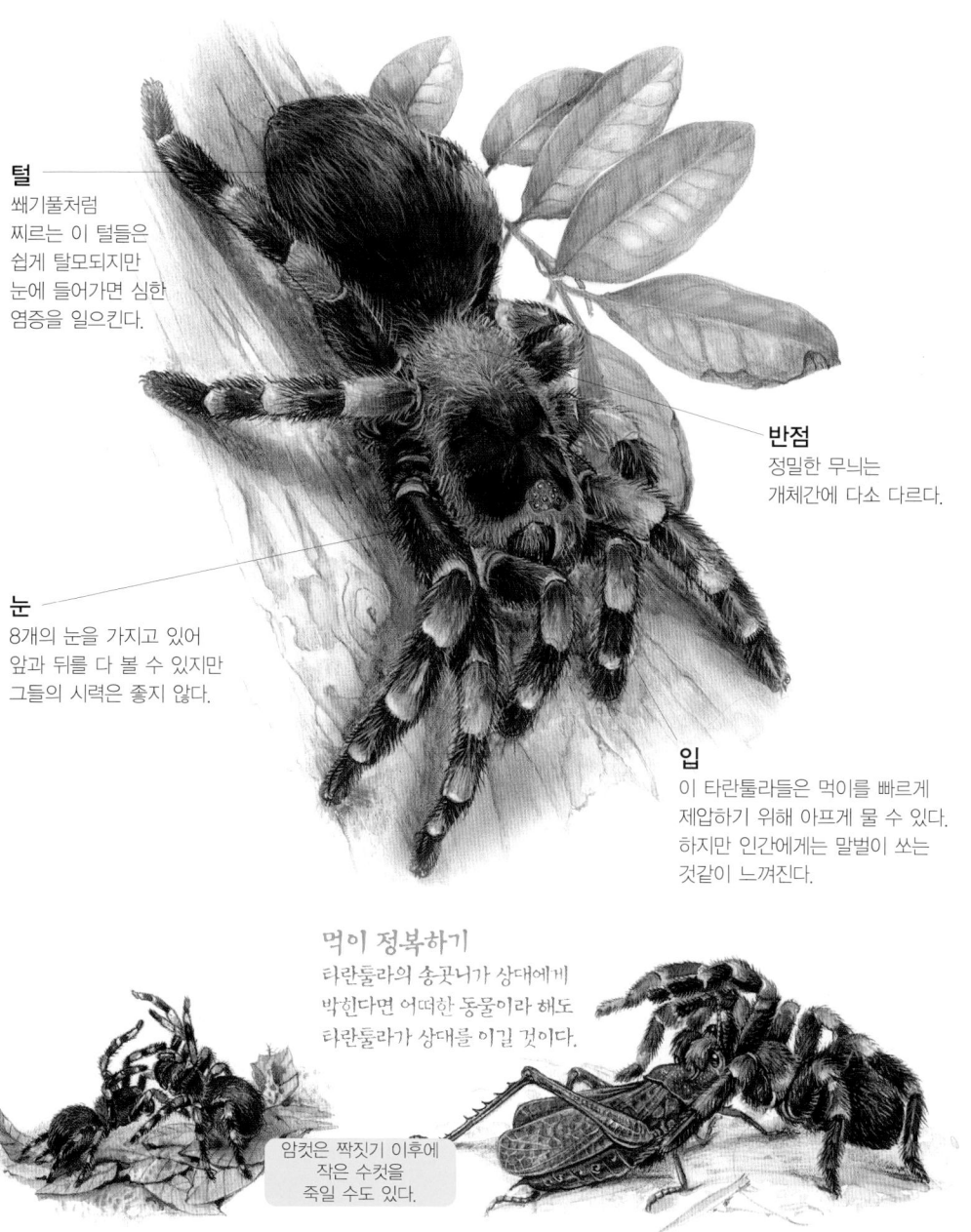

털
쐐기풀처럼
찌르는 이 털들은
쉽게 탈모되지만
눈에 들어가면 심한
염증을 일으킨다.

반점
정밀한 무늬는
개체간에 다소 다르다.

눈
8개의 눈을 가지고 있어
앞과 뒤를 다 볼 수 있지만
그들의 시력은 좋지 않다.

입
이 타란툴라들은 먹이를 빠르게
제압하기 위해 아프게 물 수 있다.
하지만 인간에게는 말벌이 쏘는
것같이 느껴진다.

먹이 정복하기
타란툴라의 송곳니가 상대에게
박힌다면 어떠한 동물이라 해도
타란툴라가 상대를 이길 것이다.

암컷은 짝짓기 이후에
작은 수컷을
죽일 수도 있다.

검은과부거미(검은독거미)
Southern Black Widow

검은과부거미보다 더 큰 두려움을 일으키는 거미는 거의 없다.
치명적인 독 때문이다. 다행히 사람에게는 적은 양만 방출한다.

검은과부거미는 초지와 삼림지에서뿐만 아니라
도시 지역에서도 매우 흔하게 발견된다. 이 거미들은
종종 별채에서 은신처를 찾아 혼자 사는 경향이 있다.
수컷은 짝짓기를 시도할 때 자신이 먹이로 보이지
않도록 하기 위해 거미줄을 특별한 암호로 두드리며
암컷에게 조심스럽게 접근한다. 거미의 동족끼리
잡아먹는 습성은 알주머니 안에서부터 시작된다.
(부화된 10마리의 거미 새끼 중에 한 마리 미만이 살아남는다.)

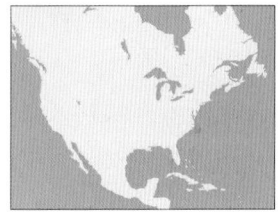

세계 어느 곳에?
미국 남동부에서 나타나며 뉴욕에서 아래로
플로리다까지, 서쪽으로 오클라호마,
아리조나 그리고 텍사스까지 확장된다.

얼마나 클까?

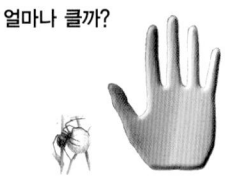

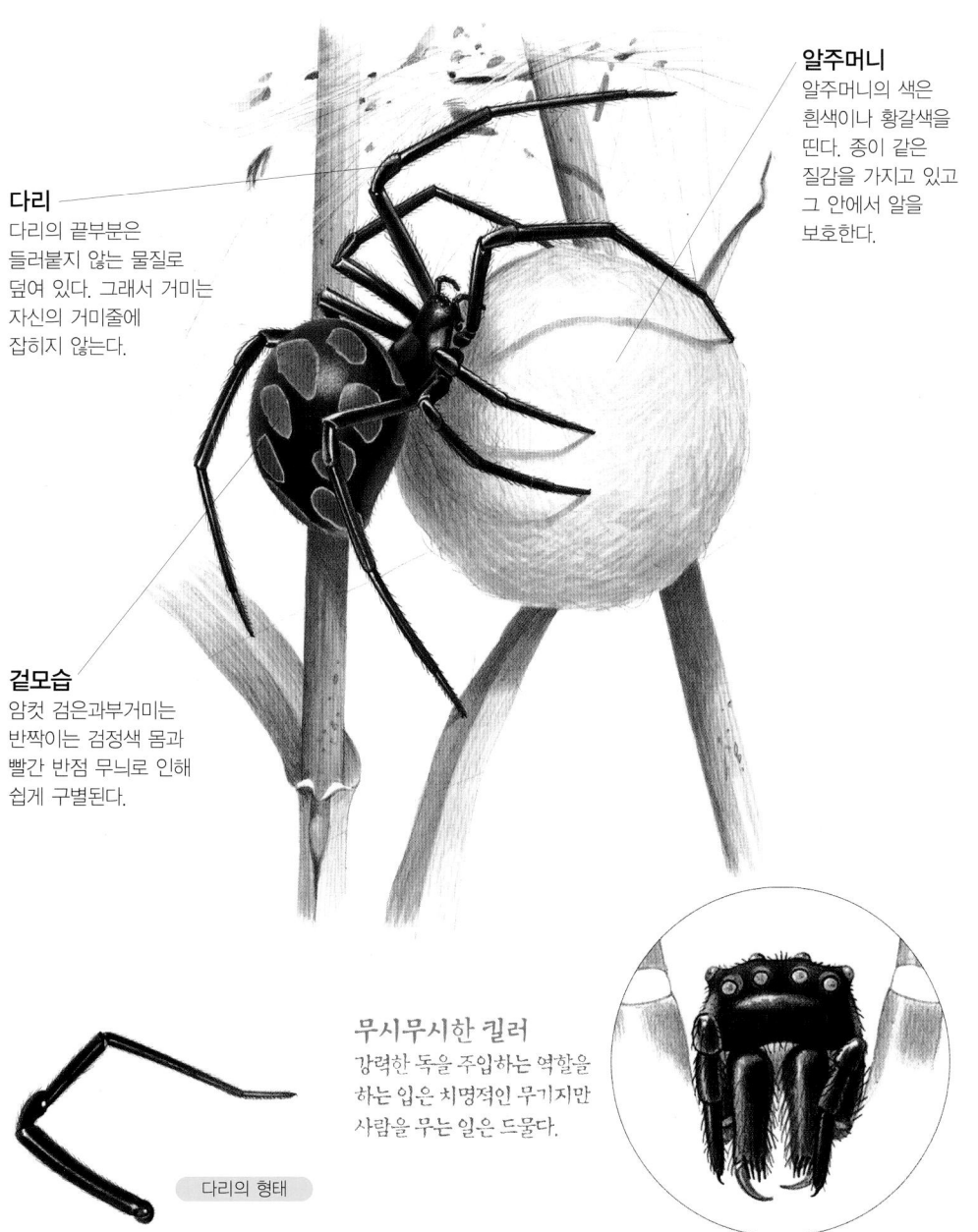

다리
다리의 끝부분은
들러붙지 않는 물질로
덮여 있다. 그래서 거미는
자신의 거미줄에
잡히지 않는다.

알주머니
알주머니의 색은
흰색이나 황갈색을
띤다. 종이 같은
질감을 가지고 있고
그 안에서 알을
보호한다.

겉모습
암컷 검은과부거미는
반짝이는 검정색 몸과
빨간 반점 무늬로 인해
쉽게 구별된다.

무시무시한 킬러
강력한 독을 주입하는 역할을
하는 입은 치명적인 무기지만
사람을 무는 일은 드물다.

다리의 형태

게거미
Crab Spider

생태 정보
길이: 수컷 0.3~0.4cm,
암컷 0.9~1cm
성 성숙: 6개월
부화 기간: 알이 알주머니에서
부화되는데 2주
알 수: 보통 45~500.
종에 따라 다름.
때로 암컷이 보호함
서식지: 사막에서 초원까지
다양
먹이: 벌, 나비 등 꽃에
유인되는 곤충들
수명: 1년 미만

게거미의 화려한 색은 매력적이어서 무척추동물 먹이를 쉽게
유인하도록 도와주기도 한다.

게거미들은 먹이를 잡기 위해 거미줄을 치지 않는다.
대신, 경계심을 갖지 않은 곤충들을 매복했다가
습격하기 위해 꽃에서 기다리는 방법으로 사냥을 한다.
그들의 눈은 먹이의 존재를 알려주는 효과적인
행동 탐지기이며, 강력한 턱은 없으나 강한 독 덕분에
자신보다 더 큰 생물들을 이길 수 있다. 죽인 먹이는
저장하지 않고 그 자리에서 먹고 식사가 끝날 때까지
머무른다.

세계 어느 곳에?
전 세계에 광범위하게 분포되어 있다.
(그린란드에서는 제한된 구역에만 분포한다.) 이 과는
전체적으로 약 160개의 다양한 속과
2000개 이상의 종으로 구성된다.

얼마나 클까?

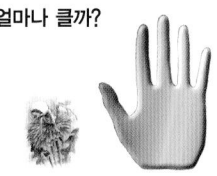

천연색
이 거미들의 색은
주변의 꽃들과
어우러지도록 돕는다.
그들은 심지어
노란색으로 바꿀
수 도 있다.

눈
눈은 작지만
먹이의 위치를
찾는 것을 돕는다.

다리
첫 번째 쌍은
가장 길고 몸에서
떨어져 있지만
사방으로 걸을 수
있게 한다.

몸의 형태
이 거미들의
전체적인 외관은
게를 연상시킨다.

다양한 전략
게거미는 식충식물의 낭상엽 안으로 자신을
내려놓고 거기로 떨어진 곤충을 잡는다.

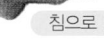

침으로 쏘는 곤충들조차 탈출하지 못한다.

머드퍼피
Common Mudpuppy

생태 정보
길이: 30cm
성적 성숙: 5~8년.
부화 기간: 온도 의존적이고
일반적으로 38~63일이다.
이맘때의 새끼들은 약 2.5cm
알의 수: 1년에 35~85개.
서식지: 숨을 곳이 있는
수생 환경에서 산다.
먹이: 육식성이고 작은
무척추동물과 물고기,
올챙이와 작은 양서류를
잡아먹는다. 수중 식물을
먹기도 한다.
수명: 34년까지 산다.

아가미로 호흡하는 이 원시적인 양서류의 특이한 이름은
그들이 개처럼 짖을 수 있을 것이라고 생각한 것에서 비롯되었다.

머드퍼피의 아가미는 타조의 깃털과 닮았고,
표면적은 넓다. 이것으로 물에서 산소를 얻고
이산화탄소를 효율적으로 방출하게 한다.
일 년 내내 활동적이며 가을에 짝짓기를 하고,
그 다음 해 봄에 알을 낳는다.

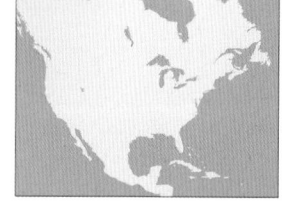

세계 어느 곳에?
온타리오와 매니토바 주에서부터 뉴욕,
캐롤라이나에서 미시시피, 앨라배마, 조지아,
루이지애나 주를 거쳐 퀘벡까지 이르는
북미의 중부와 동부에서 발견된다.

얼마나 클까?

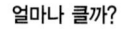

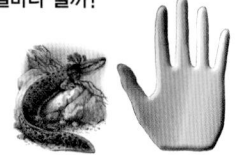

아가미
아가미에 피가 흐르기
때문에 불그스름하다.

천연색
점들은 물속에서
머드퍼피의 윤곽을
분산시키는데
도움이 된다.

측선
아주 잘 발달된
감각계는 몸 양쪽에
길게 나 있으며,
피부 바로 밑에 있다.

꼬리
넓고 튼튼한 꼬리는
필요할 경우 이들이 잘
헤엄칠 수 있다는 것을 의미한다.

알 낳기
암컷은 한 무리의 알을 돌 사이에
둔다. 물고기와 같은 다양한
포식자가 그 알을 훔치려고
시도하기도 한다.

아가미를 펼쳐서
표면적을 넓힐 수 있다.

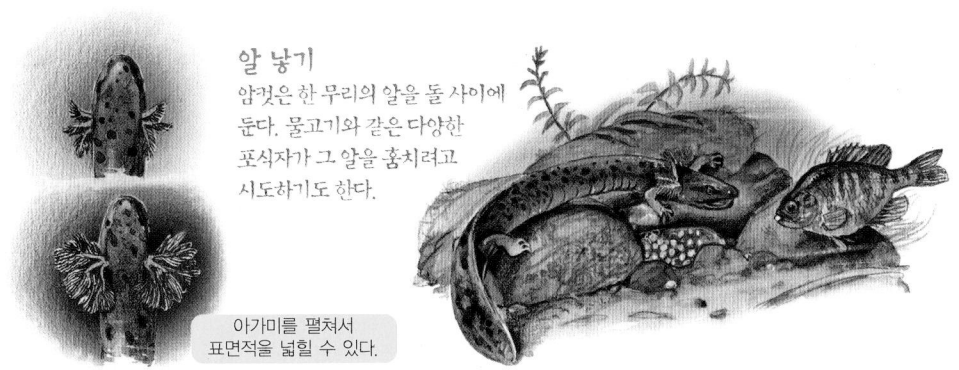

알파인 살라맨더
Alpine Salamander

생태 정보
길이: 9~15cm,
암컷이 약간 더 크다.
성적 성숙: 4~5년
부화 기간: 2~3년간 암컷의
임신 상태로 자란다.
새끼 수: 2마리
서식지: 습한 고산 지대의
목초지와 삼림 지대
먹이: 육식성으로, 지렁이
같은 작은 무척추동물을
사냥한다. 물속과 땅 위에서
먹이를 먹는다.
수명: 10~15년

대부분의 양서류와 달리, 알파인 살라맨더는 몸 안에서 알을 키워
새끼가 되었을 때 낳는다. 때문에 한번에 많이 낳을 수 없다.

알파인 살라맨더가 모두 검정색인 것은 아니다.
멸종 위기에 놓인 골든 알파인 살라맨더는 이탈리아
북부에 사는데, 등에 밝은 노란색 무늬가 있다.
독특한 번식 방법 때문에 물이 풍부하지 않은 추운
겨울 기후에서도 살 수 있다(이 기간 동안 동면을 취한다.).
일반적으로 비 온 후에 은신처에서 나와
밤에 사냥을 한다.

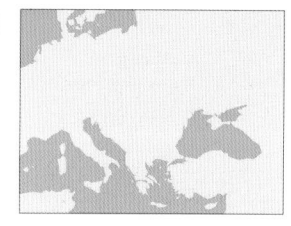

세계 어느 곳에?
알프스 지역에서 나타나며, 스위스, 프랑스,
리히텐슈타인, 독일, 오스트리아, 이탈리아,
알바니아, 크로아티아, 세르비아, 몬테네그로
보스니아, 헤르체코비나 지역에서도 나타나
최고 2800m의 고도에서도 찾아 볼 수 있다

얼마나 클까?

천연색
윤이 나는 검정색으로,
검은 살라맨더라고도 불리고 있다.

보호용 독
보호를 위한
독 분비선들이
등 부분까지
이어지는데,
몸통 양 옆으로
평행하여 있다.

귀밑샘
뒤에 부풀어 있는
부분이 독 분비선의
시작점이다.

뒷다리
뒷다리는 종종
몸 바깥쪽으로
평평하게 쭉
뻗어 있다.

겨울 나기
알파인 살라맨더는
서식지 특성상 연중 최장
8개월까지 휴면기로 있기도 한다.

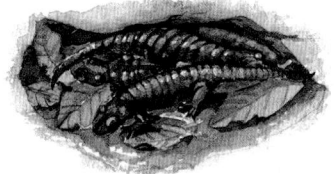

번식 전략
대부분의 양서류는 알을 매우 많이 낳아서
어느 정도의 수가 살아남는 데에 반해,
알파인 살라맨더는 성인 살라맨더의 축소판을 낳는다.

독이 포식자로부터
알파인 살라맨더를
보호한다.

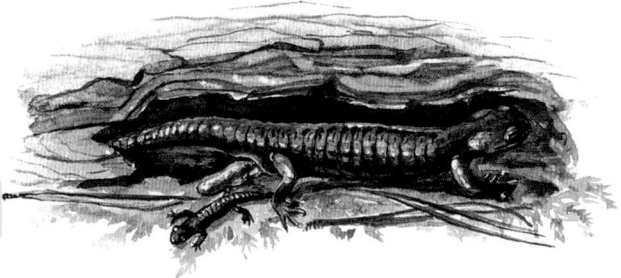

파이어살라맨더
Fire Salamander

생태 정보
길이: 일반적으로 15~25cm.
수컷은 더 작다.
성적 성숙: 4~5년
새끼 수: 아종에 따라 다른데,
최대 70마리 유충을 물에서
자라게 하거나 다 자란
새끼를 낳기도 한다.
서식지: 습한 지역, 특히
삼림지대
먹이: 육식성으로 지렁이,
달팽이, 민달팽이 같은 작은
무척추동물을 사냥한다.
(사냥은 비 온 후에 이루어진다.)
수명: 최대 50년

파이어살라맨더의 무늬는 개체마다 다르지만, 밝은 색깔이
그들의 독성을 경고하고 있다. 15개의 다른 아종이 발견되었다.

빙하기 이후 유럽에 파이어살라맨더가 일부 살게
되었는데 텐디앤마레아 파이어살라맨더(Salamandra
salamandra alfredschmidti)와 같은 종은 스페인 북부의
텐디 계곡에서만 찾아볼 수 있다. 가장 변화가 심한
것은 오비에도 파이어살라맨더(Salamandra salamandra
bernardezi)로, 등 무늬를 화려한 줄무늬 또는 점박이
무늬로 바꿀 수 있다. 가장 밝은 색의 파이어살라맨더는
이탈리아에 살고 있다(기글리올리 파이어살라맨더,
Salamandra salamandra giglioli).

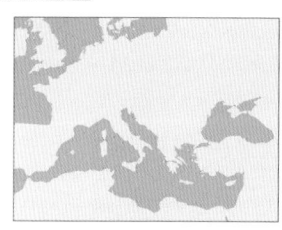

세계 어느 곳에?
유럽 남부와 중앙 지역을 거쳐 흑해의
서쪽 해안에 많이 나타나지만, 대부분의
아종이 분포 지역에 고립되어 있다.

얼마나 클까?

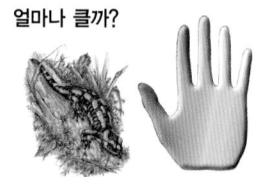

꼬리
꼬리는 몸의 길이만큼 되며, 원통형으로 끝이 둥글다.

귀밑샘
각 개체마다 다른 무늬와는 별개로, 귀밑샘은 항상 색깔을 띠고 있어 눈에 더 잘 띈다.

발가락
발가락은 둥글고 비교적 뭉툭하다.

다리
파이어살라맨더는 자신을 보호하기 위해 매우 빠르게 뛸 수 있지만, 좀처럼 기어오르지는 않는다.

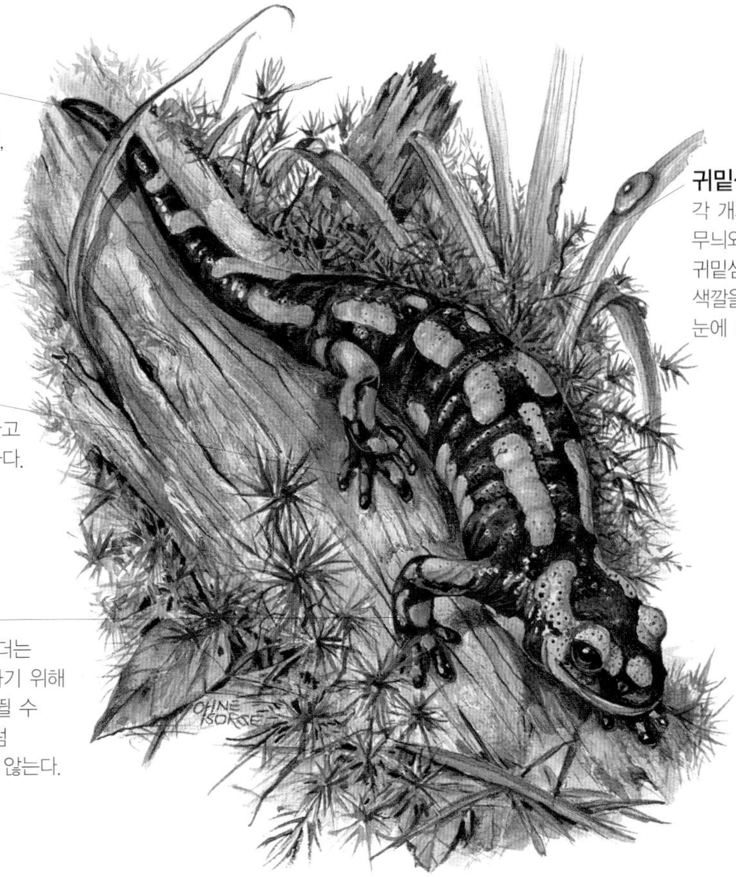

계절에 따른 행동
파이어살라맨더는 종종 가을에 짝짓기를 하지만, 새끼는 다음 해 봄이 되어서야 태어난다.

일반적인 외모
그 어떤 파이어살라맨더도 똑같은 모양을 하고 있지 않다. 노란색 점과 줄무늬가 일반적이지만, 어떤 개체는 주황색 무늬를 가지고 있다.

알파인뉴트
Alpine Newt

생태 정보
길이: 8~12cm.
성적 성숙: 2~3년
알의 수: 75~200마리.
새끼의 성장은 온도에 따라
다른데, 때때로 산악
지대에서는 올챙이로
겨울을 나기도 한다.
서식지: 습한 지역, 특히
삼림지대
먹이: 육식성으로, 작은
무척추동물을 물속과
육지에서 사냥한다. 가끔
동종을 잡아먹기도 한다.
수명: 6~8년

수컷 알파인뉴트는 번식기가 시작되는 매년 봄에 색깔이 변한다.
이때 수컷 알파인뉴트는 물로 돌아간다.

알파인뉴트는 10개의 아종이 있는데, 크기와 특성,
무늬가 다르다. 몇몇은 일부 지역에 한정되어 있으며,
유고슬라비안 알파인뉴트(Triturus alpestris lacusnigri)는
가장 희귀한 종이자 가장 큰 종류이기도 하다(13.5cm까지
자라며, 어두운 색깔이 특징이다.).
마지막 빙하기 때 기후 변화로 알파인뉴트는 그 수가
실질적으로 흩어지게 되었고, 그 이후 각 지역의
환경에 따라 독특한 특징을 갖게 되었다.

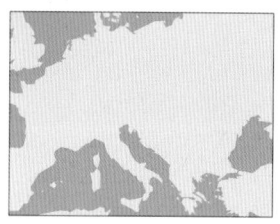

세계 어느 곳에?
알프스 지역은 물론, 벨기에의
저지대에서부터 러시아 동부, 남쪽으로는
그리스에 걸쳐 나타난다.

얼마나 클까?

번식기의 색깔
수컷의 등에 있는 관모가
발달하며, 옆구리와 꼬리가
밝은 파란색이 된다.

눈
눈은 밝은 색이며
상대적으로 크다.
먹이를 찾을 때
어느 정도 시력에
의지한다.

꼬리
넓고 납작하며,
길이를 따라
끝으로 갈수록
점점 가늘어진다.

암컷
암컷은 외향적으로
흐릿한 색이며,
연한 노란색의
작은 반점이
배 아래쪽에
퍼져 있다.

물 밖에서
알파인뉴트는
번식기 후에 물에서
떠나며, 번식기 이외의
기간에는 훨씬 칙칙한
색깔로 나타난다.

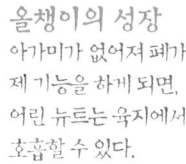

올챙이의 성장
아가미가 없어져 폐가
제 기능을 하게 되면,
어린 뉴트는 육지에서
호흡할 수 있다.

암컷은 알을 하나씩
수중 식물 이파리 밑에 넣어 놓는다.

폭탄먼지벌레
Bombardier Beetle

생태 정보
길이: 0.2~3cm
종에 따라 다르다.
성 성숙: 3~6주 정도
알의 수 : 1개. 썩어가는
나무 또는 흙에 낳는다.
발달 기간: 변태는 3주 정도
서식지: 다양한 환경에서
서식하는데, 사막에서부터
초지와 산림에서도 서식한다.
먹이: 식충성. 다양한 다른
무척추동물을 먹으며,
애벌레는 관련된 종의
동족을 먹기도 한다.
수명: 3~6주

배에서 발사되는 화학물질은 포식자들로부터 자신을 방어한다.
그리고 그것은 발사하기에 좋은 위치에 있다.

폭탄먼지벌레는 배에 있는 관을 통해 산화방지제와
수소과산화물을 배출한다. 이것들은 촉매 효소와 섞여
부분적으로 액체를 매우 역거운 냄새가 나는 독가스로
변형시킨다. 이것을 체외에서 폭발시켜 다른
무척추동물들에게 치명적인 해를 가한다.
대게 딱정벌레의 몸 옆면을 따라 분사구가 있으며,
공격자 방향으로 이 화학물질을 겨냥하여
발사할 수 있다.

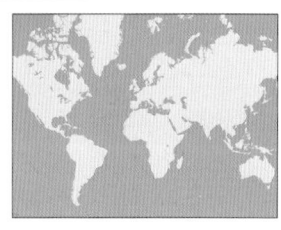

세계 어느 곳에?
전 세계적으로 분포하여, 온대 지역과
열대기후 지역 모두 분포하나
특정 지역들에서는 수가 많지 않아
개체의 수는 매우 지역적이다.

얼마나 클까?

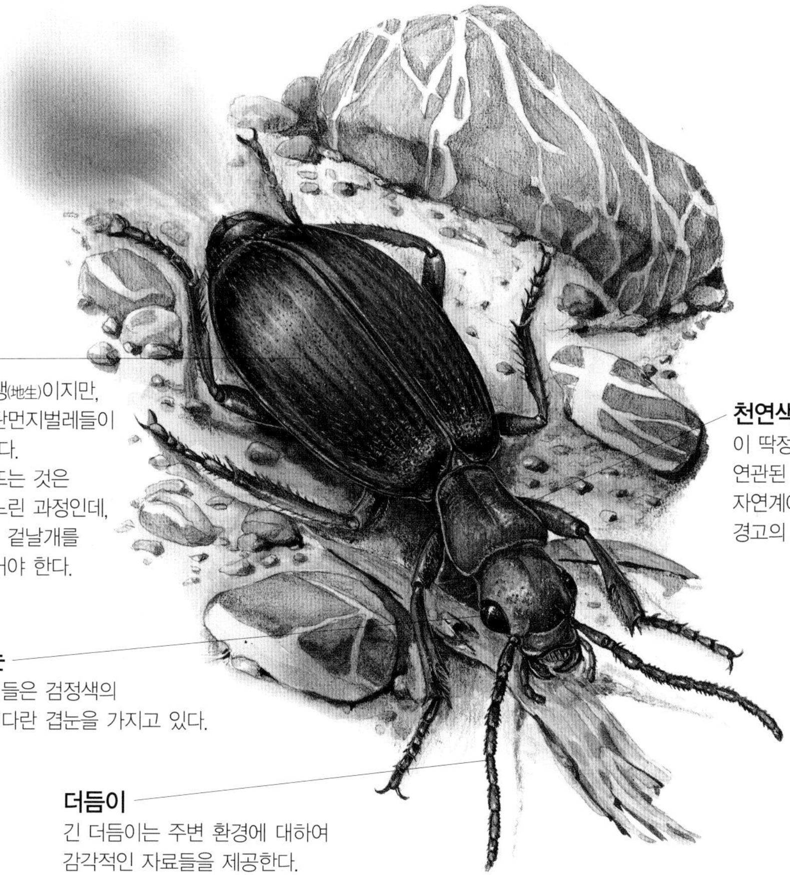

날개

주로 지생(地生)이지만,
많은 폭탄먼지벌레들이
날 수 있다.
공중에 뜨는 것은
상당히 느린 과정인데,
바깥쪽의 겉날개를
먼저 들어야 한다.

천연색

이 딱정벌레들과
연관된 밝은 빨간색은
자연계에서는
경고의 신호이다.

눈

이들은 검정색의
커다란 겹눈을 가지고 있다.

더듬이

긴 더듬이는 주변 환경에 대하여
감각적인 자료들을 제공한다.

단면

이 삽화는 딱정벌레의 몸에 있는 혼합실방을 나타낸다.
이것이 만들어내는 스프레이의
온도는 약 섭씨 100도이다.

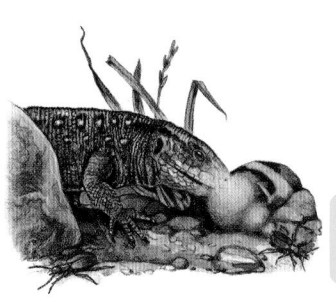

비록 독성 화학물질이
개미를 상대로 쓰이지만
좀 더 큰 포식자들로부터
딱정벌레를 방어하기도 한다.

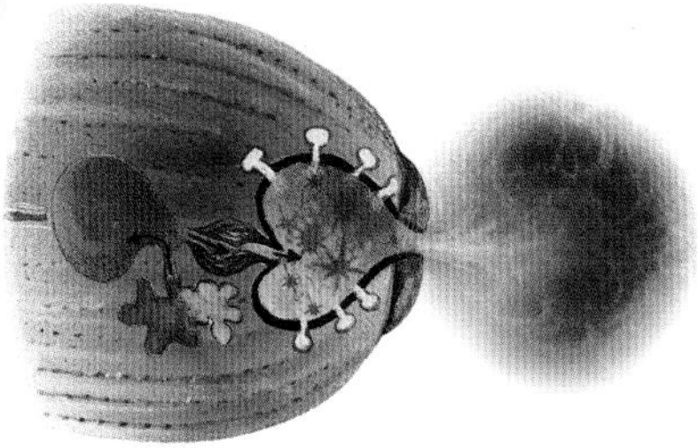

그린타이거비틀
Green Tiger Beetle

생태 정보
길이: 1.2~1.6cm
성 성숙: 번데기 이후
6주 이내
알의 수 : 3~4개. 땅속 굴에
매일 알을 낳는다.
발달 기간: 생활주기는 보통
최대 3년 동안 지속된다.
서식지: 탁 트인 전원지대에
살며, 황야 지대와 모래가
많은 지역에 나타난다.
먹이: 식충성. 다양한 다른
무척추동물들을 먹고 산다.
수명: 어른 딱정벌레는 최대
6주(2년 이상 애벌레로 지낸다.)

이름과 달리, 구릿빛과 검정색 변종도 종종 눈에 띈다.
그린타이거비틀은 햇볕이 내리쬐는 지역을 좋아한다.

그린타이거비틀은 봄과 여름에 가장 흔히 보인다.
매우 민첩하여, 먹이를 찾거나 위험으로부터 도망치기
위해 달린다. 필요하면 날 수도 있다. 하지만
얇고 투명한 뒷날개는 보통 눈에 띄지 않는다.
뒷날개는 겉날개(단단해진 앞날개) 밑에서 보호되는데,
앞날개는 보통 딱정벌레의 배 윗부분에 접혀 있다.
이 딱정벌레의 이름은 공격적인 섭식 습성으로부터
나왔으며, 강한 하악 부분에 날카로운 이빨들이 있다.

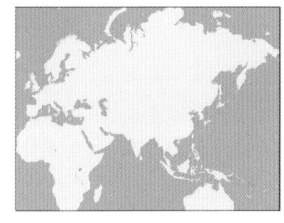

세계 어느 곳에?
이 딱정벌레는 유럽, 아시아, 시베리아
지역까지 분포한다. 이들은 영국에서
발견되는 가장 흔한 타이거비틀이다.

얼마나 클까?

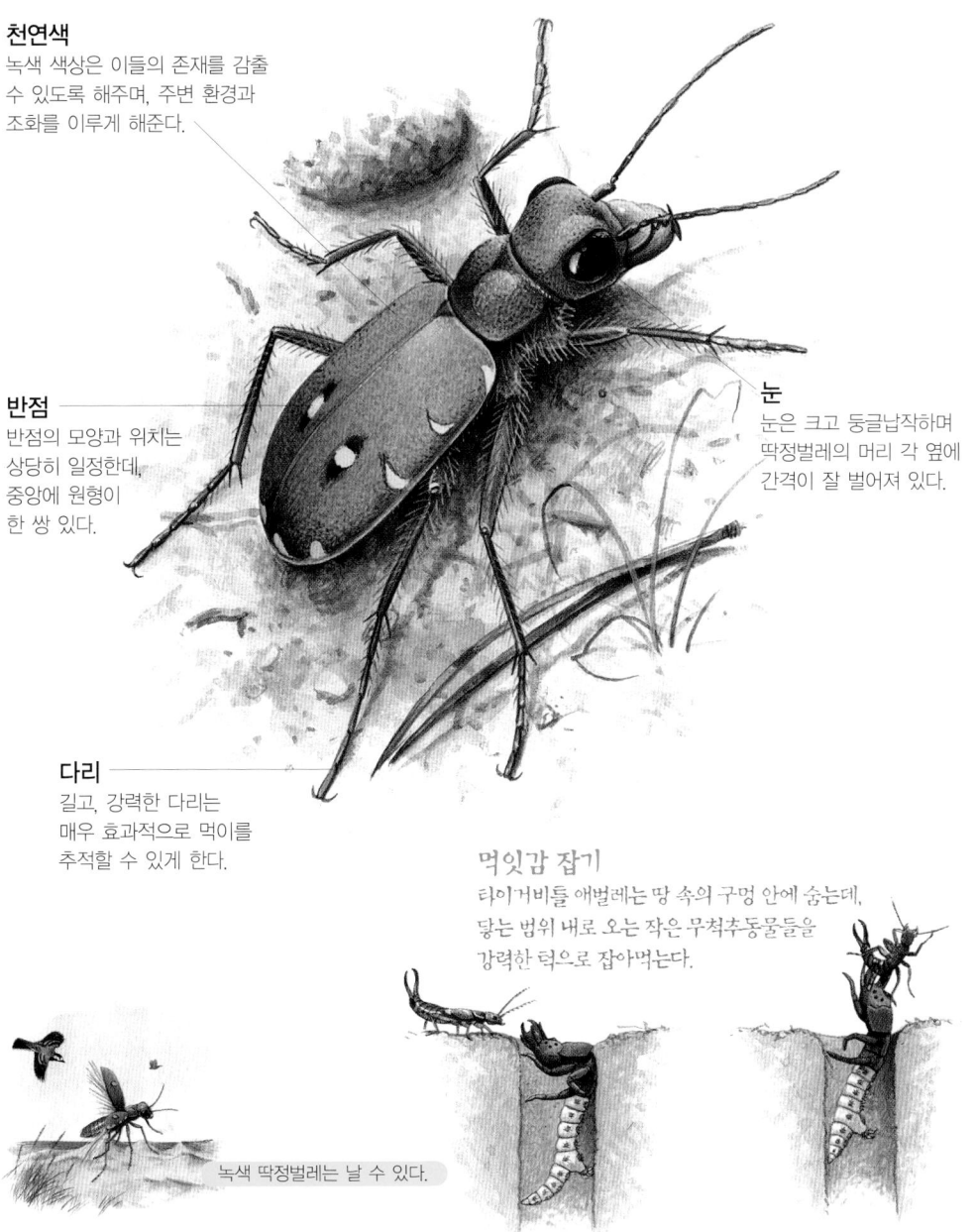

천연색
녹색 색상은 이들의 존재를 감출
수 있도록 해주며, 주변 환경과
조화를 이루게 해준다.

반점
반점의 모양과 위치는
상당히 일정한데,
중앙에 원형이
한 쌍 있다.

눈
눈은 크고 둥글납작하며
딱정벌레의 머리 각 옆에
간격이 잘 벌어져 있다.

다리
길고, 강력한 다리는
매우 효과적으로 먹이를
추적할 수 있게 한다.

먹잇감 잡기
타이거비틀 애벌레는 땅 속의 구멍 안에 숨는데,
닿는 범위 내로 오는 작은 무척추동물들을
강력한 턱으로 잡아먹는다.

녹색 딱정벌레는 날 수 있다.

사향하늘소
Musk Beetle

생태 정보
길이: 1.3~3.5cm
성 성숙: 거의 번데기에서
성충으로 나오자마자
알의 수: 3~4개.
버드나무에 매일 알을 낳는다.
발달기간: 생활주기는 보통
최대 3년 지속된다.
서식지: 버드나무가 분포하는
지역에 서식한다.
먹이: 성충은 나무수액,
꽃가루, 꽃의 꿀을 먹고 산다.
수명: 6주 정도
(2년 이상 애벌레로 지낸다.)

사향하늘소란 이름은 위험에 처했을 때 배출하는 독특한
냄새(장미 향과 비슷한 사향 냄새) 때문에 지어진 이름이라고 한다.

사향하늘소의 유충은 버드나무에 구멍을 내어 상당한
피해를 입힌다. 이 곤충은 고전적인 무척추동물
생활주기를 가지고 있다. 암컷이 알을 낳으면 부화해서
애벌레가 되고, 번데기가 되면 움직이지 않게 되지만
이 단계에서 외형적으로 큰 변화가 일어나게 된다.
이 과정의 마지막 부분에서는 번데기로부터 성충이
나오게 된다.

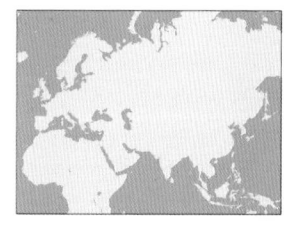

세계 어느 곳에?
이 딱정벌레는 유럽 전역에 광범위하게
서식하며, 북아프리카와 아시아에도 나타나
동쪽으로 일본까지 확장된다. 성충은 대게
여름 기간 동안만 눈에 띈다.

얼마나 클까?

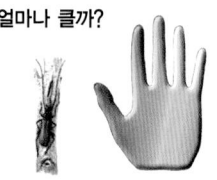

더듬이
암컷보다 수컷이
훨씬 더 길다.

천연색
유럽 종은 구릿빛 색조의
금속성 녹색을 띠지만,
아시아 종은 이 부분이
불그스름하다.

미각(尾脚)
다리의 끝에 위치하여,
딱정벌레로 하여금
꽉 잡을 수 있도록 한다.

가시털
가시털은 흉부에 위치하는데,
흉부는 몸의 가운데 부분이다.

깊게 자리잡은 위험
애벌레가 나무에 구멍을 내면서
나무 둥지 안에 통로를 만들어
나무에 끼치는 피해를 보여주는 단면도

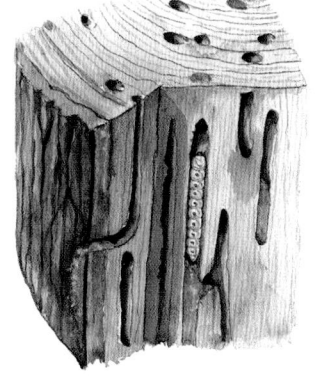

성충 딱정벌레는 나무의 수액을 먹고 사는데,
나무껍질에 나 있는 상처를 이용한다.

칠성무당벌레
Seven-Spot Ladybird

생태 정보

길이: 0.5~0.8cm

성 성숙: 번데기로부터 성충이
되자마자(생명주기는 4~6주 정도)

알의 수: 암컷은 약 2천 개의
노란색 알을 낳는다. 애벌레는
길쭉하고 대게 까맣다.

발달 기간: 애벌레 단계는
3주 이상, 번데기는 1주일.

서식지: 정원, 산울타리나
탁 트인 삼림지대

먹이: 식충성, 진딧물같이
부드러운 몸체를 가진 먹이를
좋아한다.

수명: 1년.

날아다니는 이 딱정벌레들의 빨간 색상은 중세의 그림들 중에
동정녀 마리아의 망토 색과 일치하는데, 이로부터
무당벌레(ladybird)라고 알려지게 되었다.

이 딱정벌레는 정원의 장미와 일부 채소 작물에 자주
나타나는 진딧물 등, 정원의 해충 수를 억제하는데
도움이 된다. 한 마리의 무당벌레가 평생 동안
5천 마리의 진딧물을 먹으며, 해충 통제자로서
얼마나 중요한 역할을 하는지 확인해 준다.
다른 많은 곤충들과 달리, 무당벌레는 겨울 동안
무리를 지어 서로를 따뜻하게 유지하면서 동면한다.
(매년 같은 장소를 이용한다.)

세계 어느 곳에?

이 종은 유럽 전역에 광범위하게 분포하여,
때때로(1976년처럼) 개체 수의 폭발적인
증가를 겪어왔다.

얼마나 클까?

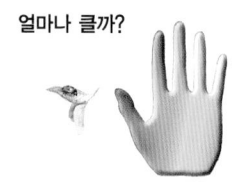

더듬이

더듬이는 상당히 짧고 무당벌레의 머리에 넓게 떨어져 위치한다.

날개

이 투명한 막은 튼튼한 외부 겉날개에 의해 숨겨진다.

몸 구조

무당벌레의 몸 대부분은 복부로 이루어진다.

반점

반점의 개수는 품종을 구별하는데 있어서 중요하다.

번식

모든 무당벌레가 무척추동물을 사냥하는 것은 아니다. 이 22점 무당벌레는 미세한 균류와 흰곰팡이를 먹음으로써 식물의 건강을 지켜준다.

무당벌레는 역겨운 냄새가 나며, 기름기 있는 액체를 다리에서 만들어내어 포식자들의 공격을 막는다.

큰물방개
Great Diving Beetle

생태 정보
길이: 최대 3.5cm
성 성숙: 번데기 기간이
끝나는 시기부터
알의 수: 20개,
수중 식물의 줄기에 낳는다.
발달 기간: 2~3주 후에
부화하며, 애벌레 단계는
6~8주 지속된다.
번데기로 겨울을 난다.
서식지: 연못과 물살이 느린
물, 또는 뭍에서도 발견된다.
먹이: 육식성이며, 다른
무척추동물들이나 양서류와
물고기를 먹는다.
수명: 2~3년

이 공격적인 딱정벌레는 자신보다 큰 생물체들도 사냥하는데
주저하지 않으며 심지어 수생 척추동물도 공격한다.
이들의 애벌레들도 마찬가지이다.

비록 이 종이 '잠수하는 큰 풍뎅이(great diving beetle)'로
알려져 있으나, 이들은 종종 등에 숨겨진 날개를 이용해
어둠을 틈타 물을 떠나서 공중으로 날아간다.
밤에는 자주 가로등으로 모여든다. 이들은 건드리면
아프게 물 수도 있다. 물방개는 환경이 좋지 않은
지역에서는 신속히 다른 곳으로 이동하기 때문에
수중생태를 관찰하는데 중요한 지표가 되기도 한다.

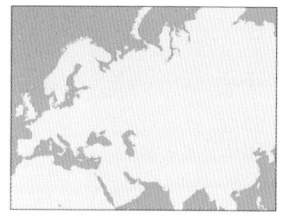

세계 어느 곳에?
유럽 대부분의 지역에서 서식지가
발견되며, 아시아 북부 전역으로 확장된다.
빽빽한 수초가 있는 곳을 좋아하며,
종종 정원 연못에 서식한다.

얼마나 클까?

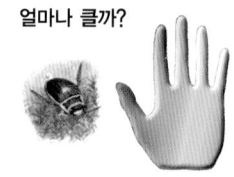

다리
세 쌍의 다리를 가지고 있다.
가장 길고 강력한 다리는
뒷다리이다.

천연색
이 딱정벌레는
흑갈색이며, 몸의
가장자리 둘레에
밝은 경계선이 있다.

입부분
이 부분은 가장 강력하고,
먹이를 찢어 놓을 수
있을 정도이다.

겉날개
겉날개의 이랑은
암컷을 나타낸다.
수컷은 몸의 이
부분이 부드럽다.

짝짓기
짝짓기는 물속이나
물 밖에서 이루어진다.

돌아다니기
큰물방개는 헤엄칠 때 뒷다리에
의존하고, 앞다리는 붙잡는 용도로
사용한다. 이들은 짧은 꼬리도 있다.

겉날개는 나는 동안 들어올려진다.

사슴벌레
Stag Beetle

생태 정보
길이: 뿔 끝에서부터 복부
끝까지 수컷은 최대 7㎝,
암컷은 평균 3.5㎝
성 성숙: 번데기 된 이후
알 수: 12~24개, 3주 후 부화
발달 기간: 생활주기는 4~7년
서식지: 썩어가는 나무
그루터기가 많이 있는
삼림지대
먹이: 꿀과 나무 수액
수명: 성충은 약 4개월

수컷의 눈에 띄는 뿔은 이들의 속명을 설명해 준다. 위협을
받으면 도망가기보다는 발각을 피하기 위해 꼼짝하지 않는다.

사슴벌레 유충이 먹는 먹이의 질은 사슴벌레의 변태
기간과 크기에 영향을 미친다. 성충은 보통 5월부터
8월까지, 여름 동안에 볼 수 있다.
이들은 고요하고 따뜻한 저녁에 짝을 찾아 날아가는데,
이때 큰 박쥐들의 먹이가 될 위험에 처하게 된다.
암컷들은 알을 낳기 위한 장소로 나무 그루터기보다는
썩어가는 울타리 기둥을 이용한다.

세계 어느 곳에?
유럽 전역과 동쪽으로는 그리스, 터키,
시리아까지 나타나나 국지화되었다.
생존을 위해서는 나무 그루터기뿐만 아니
물에 잠기지 않을 땅도 필요하다.

얼마나 클까?

천연색
거무스름해 보이며
보랏빛 색조를 띤다.

입
암컷은 뿔이 없는 대신
턱으로 아프게 물 수 있다.

뿔
수컷은 가지진 뿔로
서로 도전한다.
수사슴처럼 뿔을 따라
뿔가지가 있다.

머리 형태
수컷 사슴벌레의 머리는
뿔 사이의 폭만큼 넓다.

함께 따분하기
하나의 나무 그루터기에 최대 50마리의 애벌레가 있다.
이들은 독특한 C자 형태를 하고 있으며 눈을 감고 있다.

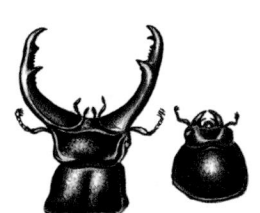

수컷(왼쪽)의 머리와
암컷(오른쪽)의 머리 비교

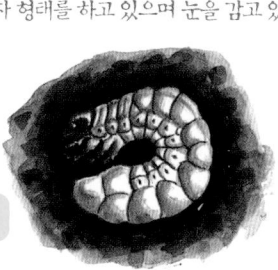

떡갈잎풍뎅이
Common Cockchafer

생태 정보
길이: 2~3cm
성 성숙: 번데기 된 이후
알 수: 60~80개, 땅 속에
묻혀 있다가 4~6주 후 부화
발달 기간: 생활주기는 3년
서식지: 공원과 정원을
포함하여 낙엽성 삼림 지대
먹이: 성충은 나뭇잎을 먹고
사는데 특히 떡갈나뭇잎을
먹으며 솔잎도 먹는다.
유충은 식물의 뿌리를 먹는다.
수명: 성충은 5~7주

이 풍뎅이들의 이름은 영어의 고어인 '풍뎅이(cockchafer)'로부터
기원한다. 단순히 큰 풍뎅이라는 뜻이다. 날 때 시끄럽게 '윙윙'
소리를 낸다.

떡갈잎풍뎅이 성충은 짧은 기간밖에 살지 못하지만,
풍뎅이 떼는 한 지역의 모든 나무들을 벗겨내어 성장을
방해할 수 있다. 이것은 매 3~4년마다 일어나는데
떡갈잎풍뎅이의 번식주기가 긴 덕분이다.
오늘날 떡갈잎풍뎅이들은 과거보다 훨씬 수가 적다.
(과거에는 숲의 18㎢ 안에 2천만 이상에 달했었다.) 이들은
5월에 번데기에서 나오므로 '5월 벌레'라고도 불린다.

세계 어느 곳에?
유럽 전역과 바로 위로는 스칸디나비아까지
광범위하게 나타난다. 영국 북부에서보다
남부에서 더 흔하다. 헝가리에서는
가장 심각한 해충으로 꼽는다.

얼마나 클까?

천연색
머리와 흉부는 검정색이며
복부의 아랫면에 검정색과
흰색의 줄무늬가 있다.

겉날개
겉날개는 갈색이며
세로로 이랑이 있다.

더듬이
이 독특한 부채
모양의 구조물은
머리의 측면에서
거의 직각으로
돌출되어 있다.

입
넓은 입 부분은
떡갈잎풍뎅이가 좀 더
쉽게 초목을 먹을 수
있도록 돕는다.

방해된 성장
뿌리를 먹는 떡갈잎풍뎅이의 애벌레 때문에
식물의 성장이 저해될 수 있다.

땅속에서 생존하기
떡갈잎풍뎅이의 애벌레는
다양한 기타 생물들,
특히 두더지에게
맛있는 식사가 된다.

떡갈잎풍뎅이의 더듬이 확장

유럽장수풍뎅이
European Rhinoceros Beetle

생태 정보
길이: 2.7~6.4cm
성 성숙: 번데기 된 이후
알 수: 암컷이 약 100개의
알을 낳아 나무 그루터기에
묻어 놓는다.
발달 기간: 유충은 한 달 후에
부화하고 2개월 더 있다가
번데기가 된다.
서식지: 삼림지대(어떤 품종들은
열대 우림에서 발견된다.)
먹이: 유충은 썩어가는 목재를
먹지만 성충은 익은 과일과
식물 수액을 먹고 산다.
수명: 약 4개월

수컷의 뿔은 이 종을 식별하게 해 주지만 어떤 경우에는
암수 모두 뿔을 가지고 있다. 유럽장수풍뎅이는 이들의
크기 치고는 세상에서 가장 강한 생물체이다.

장수풍뎅이는 야행성이라서 어둠이 내릴 때만 바위나
통나무 밑의 숨는 장소에서 나오지만, 이들은 여전히
포식자들에게 취약하다. 위급할 땐 힘을 이용해서
흙을 들어 올리고 재빨리 땅속으로 몸을 숨긴 채
계속 파내어 안전하게 숨는다. 특히 나뭇잎들로 된
덮개를 만들어 그 속에 숨는다.
수컷의 뿔은 포식자들에 대한 방어용이 아니라
다른 수컷들과의 싸움에 쓰인다.

세계 어느 곳에?
영국에는 없지만 유럽 본토에는
광범위하게 퍼져 있으며 위로
스칸디나비아에도 나타난다. 아시아로도
확장되며 이란과 중동에서 발견된다.

얼마나 클까?

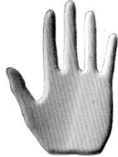

눈
눈은 간격이 잘 벌어져 있고
비교적 작다.

천연색
성충은 어두운 색조의
적갈색이다.

머리
뿔과는 별도로 머리 뒤쪽에
보호용으로 솟은 부위가
수컷을 구별해 준다.

등
넓고 강한 등은
이 풍뎅이가 자신의
무게의 최대 850배를
나를 수 있게 해준다.

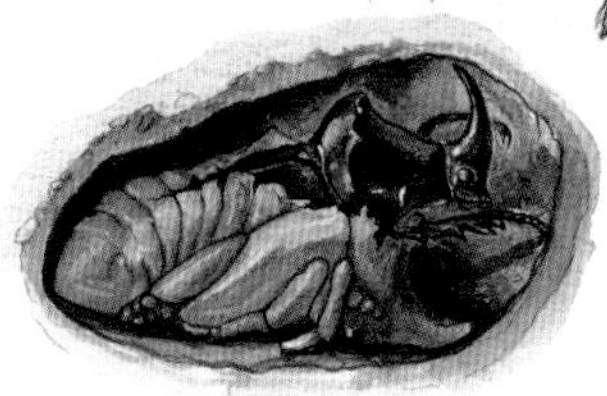

번데기
새끼 수컷은 번데기를 부수고
나와 바로 땅 위로 나온다.

경쟁자와 겨루기
수컷들은 전투 중에 함께 몸싸움을 벌이는데
뿔은 상처를 가하기보다 상대를
뒤집는 수단으로써의 역할을 한다.

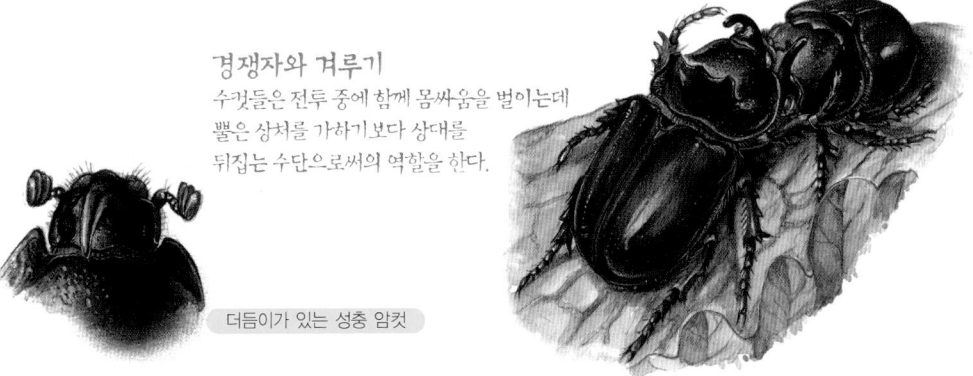

더듬이가 있는 성충 암컷

쇠똥구리
Dung Beetle

생태 정보
길이: 0.3~5cm,
품종에 따라 다르다.
성 성숙: 번데기화 이후
알 수: 하루에 최대 3개씩
발달 기간: 생활주기는
5~16주 걸린다.
서식지: 탁 트인 전원지대,
특히 초식 포유동물 떼가
있는 곳
먹이: 똥과 똥에서 추출한
물을 먹고 산다.
수명: 성충은 2~6개월

쇠똥구리는 동물의 똥을 분해하여 영양소를 토양으로 되돌리는 중요한 역할을 한다.

쇠똥구리는 후각이 발달해 곧장 목표물을 향해 나아갈 수 있다. 하지만 어떤 품종들은 동물들에 의해 운반되는 도중에 떨어져 내려온다. 똥을 공처럼 만드는 쇠똥구리는 뒷다리를 사용하여 가능한 한 빨리 굴리려고 노력하는데 다른 딱정벌레가 훔쳐갈 수 없도록 하기 위해서이다. 일단 안전해지면 공 같은 똥을 부드러운 땅 속에 묻는다.

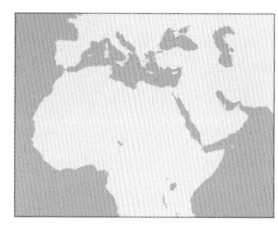

세계 어느 곳에?
쇠똥구리는 남극을 제외하고 모든 대륙에서 발견된다. 대다수는 아프리카에서 코끼리의 기타 커다란 초식동물들을 따라 발생한다.

얼마나 클까?

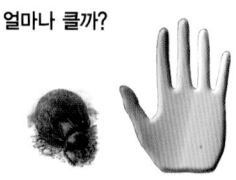

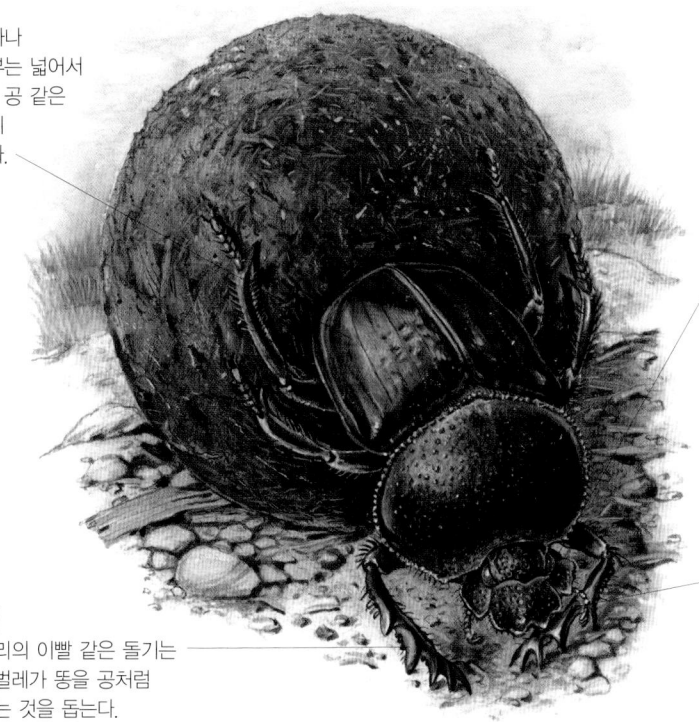

체형
몸은 편평하나
흉부와 복부는 넓어서
쇠똥구리가 공 같은
똥을 미는데
도움이 된다.

머리
편평하고 다소
삽 같은 형태이다.

더듬이
이 감각 돌기는
작고, 끝부분에
털송이가 있다.

다리
앞다리의 이빨 같은 돌기는
딱정벌레가 똥을 공처럼
만드는 것을 돕는다.

번식 습성
암수 쌍은 똥을 가지고
함께 출발한다. 그리고
짝짓기 후 암컷은
공 모양 똥에 알을 낳는다.

그리고 나면 그 똥은 알을 품고 있는 공으로 묘사되며
새끼 유충들은 지하에서 그 똥을 먹고 산다.

알을 품고 있는 '배'의 안쪽에 유충 한 마리가 보인다.
어떤 종들은 지하에 묻은 똥 속에 알을 낳는다.

로즈채퍼(장미꽃풍뎅이)
Rose Chafer

생태 정보
길이: 약 2cm
성 성숙: 번데기 된 이후
알 수: 암컷은 썩어가는
목재나 퇴비 또는 부엽토에
알을 낳는다.
발달 기간: 유충으로
겨울나기를 하고 이듬해
여름에 번데기가 된다.
2년 생활주기
서식지: 정원이나 우거지지
않은 삼림지대에서 발견된다.
먹이: 성충은 꽃, 꿀, 꽃가루를
먹고 유충은 썩어가는 목재를
먹는다.
수명: 3~4개월

아름다운 모습에도 불구하고 정원사를 괴롭히는
로즈채퍼 성충들은 특히 장미꽃을 야금야금 먹는다.

로즈채퍼는 다른 풍뎅이들과 달리 날고 있을 때 매우
재빠르다. 날 때 겉날개를 높이 들지 않기 때문이다.
성충은 봄에 번데기에서 나오고 여름 동안 활동적이며
가을 전에 죽는다. 그러는 동안 이들의 유충은 이미
신속하게 성장했을 것이다.
유충들은 특이하게도 몸을 C자처럼 만들어서
등으로 이동한다.

세계 어느 곳에?
영국의 남부 지역에서부터 남쪽으로
유럽 전역에 분포하며 유럽 대륙의 남부와
중부 지역 전체에 넓게 퍼져 있다.
북부 지역에서는 흔하지 않다.

얼마나 클까?

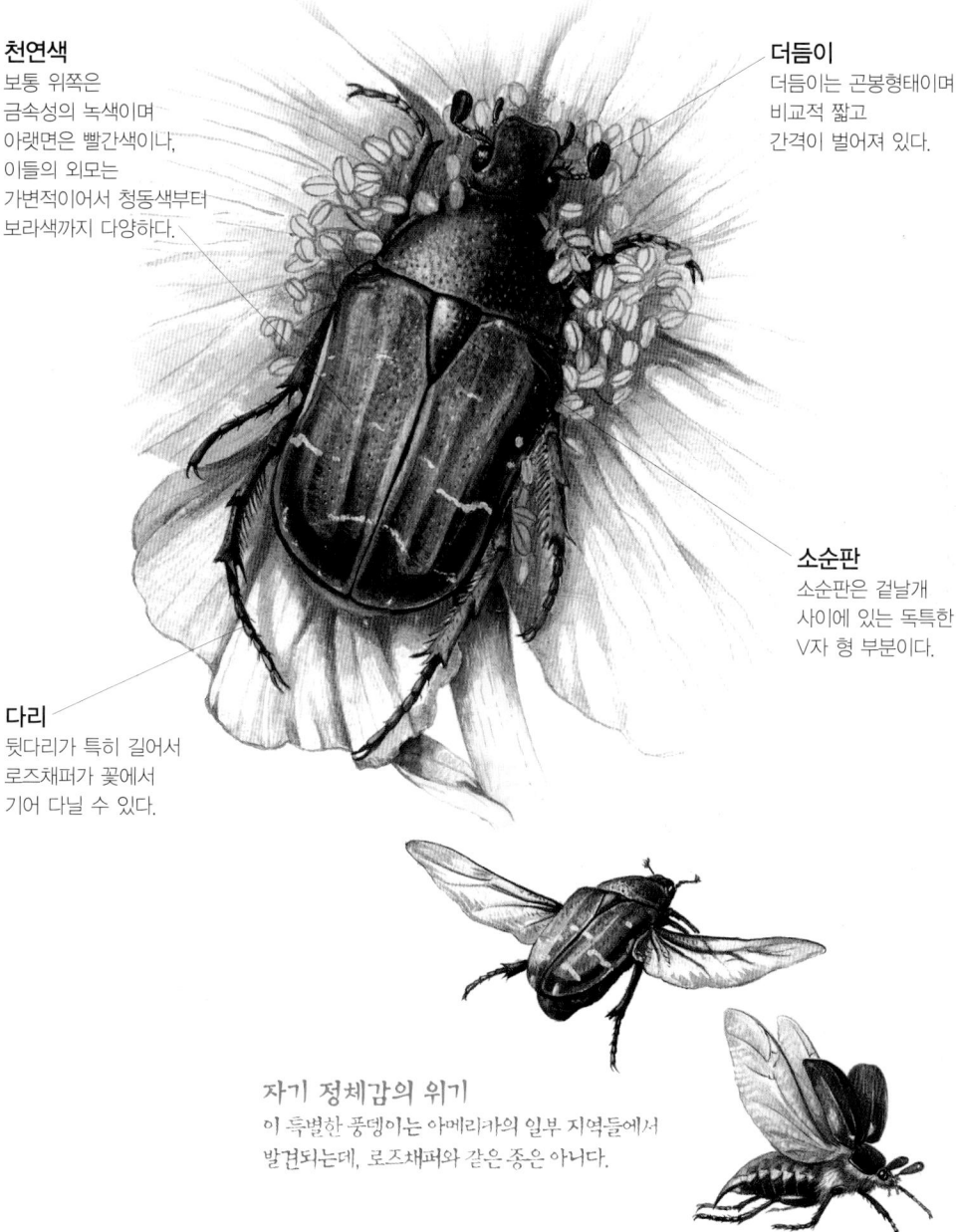

천연색
보통 위쪽은
금속성의 녹색이며
아랫면은 빨간색이나,
이들의 외모는
가변적이어서 청동색부터
보라색까지 다양하다.

더듬이
더듬이는 곤봉형태이며
비교적 짧고
간격이 벌어져 있다.

소순판
소순판은 겉날개
사이에 있는 독특한
V자 형 부분이다.

다리
뒷다리가 특히 길어서
로즈채퍼가 꽃에서
기어 다닐 수 있다.

자기 정체감의 위기
이 특별한 풍뎅이는 아메리카의 일부 지역들에서
발견되는데, 로즈채퍼와 같은 종은 아니다.

송장벌레
Gravedigger Beetle

생태 정보
길이: 2.5~4.5cm
성 성숙: 번데기 된 이후
알 수: 1~30개. 썩어가는
시체 근처에 알을 낳는다.
발달 기간: 유충은 1주일 후에
성숙하고, 흙 속에서 번데기가
된 후 어른 풍뎅이로 나온다.
생활주기는 45~60일.
서식지: 설치류와
작은 조류들이 있는
우거지지 않은 삼림지대
먹이: 시체의 살점을 먹는다.
수명: 최대 1년

송장벌레의 오싹한 습성은 죽은 고기를 먹고 살며
이들의 유충에게 영양분을 주기 위해 먹이를 매장한다.

이 풍뎅이들은 예리한 후각 덕분에 곧장 시체를
찾아낼 수 있다. 시체를 찾아 모여든 여러 마리 가운데
암수 한 쌍이 남을 때까지 서로 맹렬하게 싸우지만
때때로 몇 쌍이 시체를 나누어 먹기도 한다. 그리고
나면 시체는 매장될 준비가 되며 암컷은 시체 곁에 알을
낳는다. 유충이 부화하면, 혼자 먹이를 찾아먹을 수
있으며 어른들이 먹여주기도 한다.

세계 어느 곳에?
북아메리카에 나타난다. 아메리카 송장벌레처
어떤 것들은 극적으로 감소해 왔다. 이 종은
35개 주에 자연적으로 발생했었으나 지금은
단지 5개 주에만 국한된다.

얼마나 클까?

76

더듬이
더듬이는 특별한 화학수용체가 달려 있어서 송장벌레가 시체를 감지할 수 있게 한다.

시체
송장벌레는 설치류나 작은 조류의 시체를 먹고 산다.

무늬
오렌지빛 빨간 반점이 검정색 바탕에 있다.

복부의 끝
수컷은 이 부분에서 페로몬이라 불리는 화학적 메신저를 방출하는데 이것은 공중으로 옮겨져 짝을 유인한다.

매장 과정

시체는 다른 청소동물들이 가져가지 못하도록 매장한다. 송장벌레들은 구멍을 팔 때 살균력이 있는 균류 분비물을 시체에 뿌려 부식의 속도를 늦추고 시체의 냄새를 숨긴다. 시체는 땅속에서 공처럼 말아지며 전체 매장 과정은 약 8시간이 걸린다. 그 후 털이나 깃털은 벗겨내고 알은 시체 근처의 소위 지하실(crypt)에 낳으며 며칠 후에 부화한다. 그리고서 유충은 시체에서 살을 벗겨 먹는다. 먹을 수 있는 음식에 비해 너무 많은 유충이 있으면 어른 송장벌레들이 어느 정도의 유충을 죽인다.

미국악어
American Alligator

생태 정보

무게: 453~500kg,
수컷이 훨씬 더 크다.
길이: 3~4.6m
성 성숙: 약 10년,
길이가 3m 될 때
알 수: 한 번에 25~60개
부화 기간: 약 63일.
암컷은 새로 부화한 새끼들을
지키며 물로 데리고 간다.
먹이: 포식성. 물고기,
바다거북, 뱀, 양서류,
포유류를 먹고 산다.
새끼들은 양서류, 물고기
무척추동물들을 사냥한다.
수명: 40~60년

미국악어는 한때 지나친 사냥으로 멸종위기에 직면했었으나
지금은 이들의 생존이 가능해 보인다.

악어는 놀랍게도 시끄러운 생물체다.
이들은 으르렁거리고 울부짖으며 의사소통하고
물속에서 턱을 철썩 부딪친다. 이 음파는 수중의 다른
악어들에 의해 감지된다.
미국악어는 이들의 서식지의 풍광에 영향을 미치는데,
소위 '악어 굴'을 파서 작은 연못을 만들게 된다.
알은 봄에 낳고 부패되고 있는 초목 더미로 덮는데
이것이 열을 발산해서 천연 부화기의 역할을 한다.

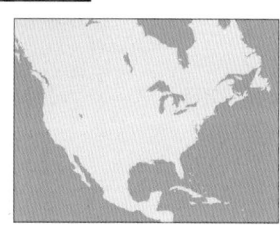

세계 어느 곳에?

미국 남동부에 발생하며 플로리다와
루이지애나 주에 주로 집중되어 있다. 또한
텍사스, 앨라배마와 조지아에도 나타난다.
습지와 늪지대에 산다.

얼마나 클까?

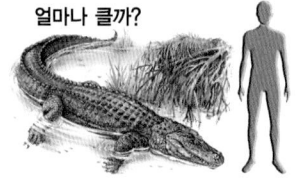

꼬리
악어가 헤엄칠 때,
물속에서 좌우로
움직인다.
꼬리는 몸길이의
절반이다.

뒷발
물갈퀴가 있는 발가락이
악어가 헤엄치는 것을 돕는다.

인갑
인갑은 등을 따라 아래로 이어지며
거친 피부를 강화한다.

머리
머리는 넓고, 무딘 주둥이와
콧구멍이 높게 달려 있다.

이동
이동 중인 악어는
땅에서 이동할 수 있어서
어떤 지역들에서는 골칫거리가 된다.
(예를 들어 골프장에서 발견되기도 한다.)

앨리게이터와 크로커다일
앨리게이터(아래)의 아래 이빨들은 턱이 닫혀 있을 때
입 안에 숨겨져 있으나 크로커다일(위)의 경우
아래 이빨이 보인다. 또한
크로커다일은 주둥이가 더 길다.

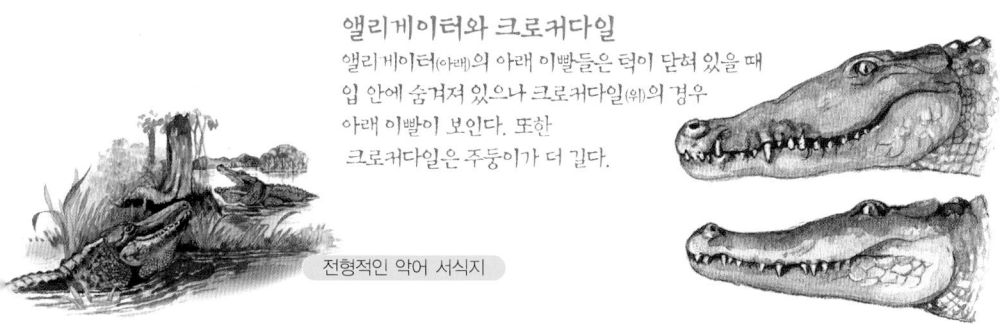

전형적인 악어 서식지

나일악어
Nile Crocodile

생태 정보
무게: 680~1000kg,
수컷이 더 무겁다.
길이: 3.3~5.5m
성 성숙: 약 10년,
길이가 3m 될 때
알 수: 한 번에 25~80개
부화 기간: 약 90일. 암컷은
새로 부화하는 새끼들을
지키고 물로 데리고 간다.
먹이: 물고기를 먹지만
다 자란 악어는 더 큰 포유류
먹잇감을, 새끼들은 양서류와
좀 더 큰 무척추동물들을
사냥한다.
수명: 70~90년

이 크고 위험한 악어들은 아마도 매년 수천 명의 사망자를
냈을 것이다. 지금도 물속 어딘가에 보이지 않게 숨어 있다.

나일악어는 매우 효율적인 포식자로 흔히 집단으로
사냥하는데 소위 '사망자 명부'라고 묘사된다.
한 악어가 동물을 잡아서 붙들면 다른 악어들이
그 동물의 사지를 잡고 몸을 돌려서 분할한다.
강을 선호하나 또한 염수에서도 나타난다.
이 파충류들은 눈을 포함한 머리의 꼭대기 부분만
살짝 수면 위로 내놓고 숨어 있기 때문에
물속에서 악어를 발견하는 것은 매우 어렵다.

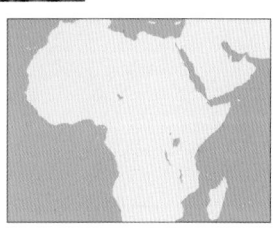

세계 어느 곳에?
아프리카 사하라 사막 이남의 전역에
발생하며 동쪽으로 이집트까지 확장된다.
또한 마다가스카르 서부에도 나타난다.
아프리카 대륙의 남서부에는 없다.

얼마나 클까?

인갑
등을 따라 솟아올라 있는
이 부분은 뼈로 강화된다.

턱
넓고 커다란 턱은
평방 센티미터 당
210kg의 힘으로
쾅 닫힐 수 있다.

발
발가락은
강력한 발톱으로
무장되어 있다.

속도
악어는 먹잇감을 잡기 위해
상당히 빠른 속도로 돌진할 수 있다.

햇볕 쬐기
악어는 뭍으로 몸을 끌어올려
태양광선 아래서 몸을 덥혀
이들의 활동 수준을 높인다.

새끼 악어가 알에서 나오고 있다.
(알은 계란 정도의 크기)

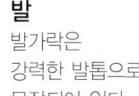

인도가비알
Gharial

생태 정보
무게: 680~1000kg,
수컷이 더 무겁다.
길이: 5~6m
성 성숙: 약 10년,
길이가 3m 될 때
알 수: 한 번에 30~50개
부화 기간: 약 90일. 암컷은
새로 부화하는 새끼들을
지키지만 물로 데리고 가지는
않는다.
먹이: 어른이 되면 물고기를
먹고, 새끼들은 양서류와
좀 더 큰 무척추동물들을
먹이로 삼는다.
수명: 40~60년

가비알은 이 무서운 과의 동물 중에서 가장 길다. 그러나 이들은 인간에게 해가 없으며 좁은 주둥이는 물고기를 잡는데 사용된다.

가비알은 뭍에서는 다소 어설퍼 보이지만 물속에서는 유선형으로 움직이며 매우 민첩하다. 좁은 주둥이는 먹잇감을 추격할 때 최소한의 저항을 받는다. 오늘날 2천 마리 미만이 살아있어 이 악어의 알을 수확해서 인공적으로 부화시킨 후, 새끼를 방출하는 것은 이들의 수를 증가시키는 방법으로써 시도되어 왔다. 그러나 먹이의 부족과 오염 때문에 이 계획은 바라던만큼 성공적이지는 못했다.

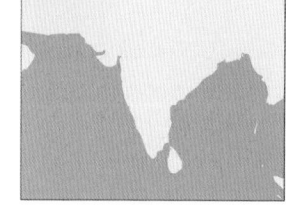

세계 어느 곳에?
인도에서 발생한다. 하지만 이들의 이전 분포지인 부탄, 파키스탄, 방글라데시, 미얀마 그리고 네팔의 대부분 지역 전체에 드물게 있다. 인도에서만 수가 증가하고 있다.

얼마나 클까?

주둥이
수컷은 주둥이 끝에
'가라(ghara:냄비의
형태에 대한 인도어에서
나옴)'라고 묘사되는
부풀어 오른 부분을
가지고 있다.

턱
턱 안에는 100개 이상의 날카로운
이빨이 있어서 물고기를 잡을 때
효과적으로 이용한다.

천연색
어른은 새끼보다
더 진한 색조의
올리브색이다.

꼬리
꼬리는 길고 편평하며
수영 실력을 돕는다.

번식 전략
알품기는 모래 강둑이 노출되는
건기 동안 일어난다.

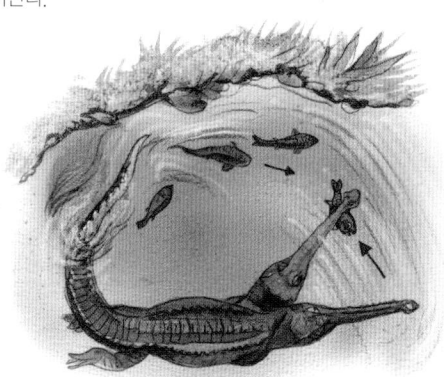

낚시 전략
가비알은 물고기를 잡을 수
있는데, 먹잇감을 잡으면
주둥이를 좌우로 움직여서
위치를 바꿔가며
머리부터 삼킨다.

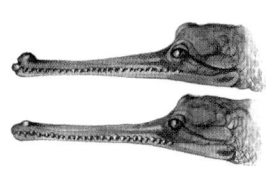

수컷(위), 암컷(아래)

집게벌레
Common Earwig

생태 정보
길이: 0.8~1.8cm
산란 수: 20~80개.
봄에 낳는다. 알은 보통
돌 밑에 숨겨 둔다.
부화 기간: 약 2주. 약충이
2주 정도 되었을 때
가족 무리는 흩어진다.
서식지: 정원이나 산림지대의
축축한 곳에서 살며, 종종
달리아와 같은 꽃에
숨어 있다.
먹이: 식물에서 뒤지거나
다른 곤충을 먹기도 한다.
수명: 최장 1년

집게벌레라는 이름은 집게벌레들이 밤에 어떻게 사람의 귀로
기어들어갔는지 설명하는 오래된 이야기로부터 유래한다.
아마도 이 벌레들이 짚 바닥에서 발견되기 때문일 것이다.

집게벌레는 늦여름에 가장 많이 보이며, 천성적으로
야행성이다. 암컷 집게벌레는 자신의 알을 가장 먼저
돌보며 알을 깨끗하게 유지해서 곰팡이가 생기지 않게
하며, 알이 부화하면 새끼들을 돌보는 놀라운 모성애를
보여준다. 새끼 집게벌레는 성체와 같은 모양으로,
크기만 작다. 집게벌레는 빨리 달릴 수 있기 때문에
위험에서 벗어나는 데에 능숙하다. 납작한 모양새로
작은 틈을 비집고 들어갈 수도 있다.

세계 어느 곳에?
특히 유럽의 서늘한 지역 도처에서
발견되며, 전 세계 많은 지역에
우연히 소개되었다.

얼마나 클까?

촉수
촉수는 길고
머리 양 측면에서
약간 구부러져서
나 있다.

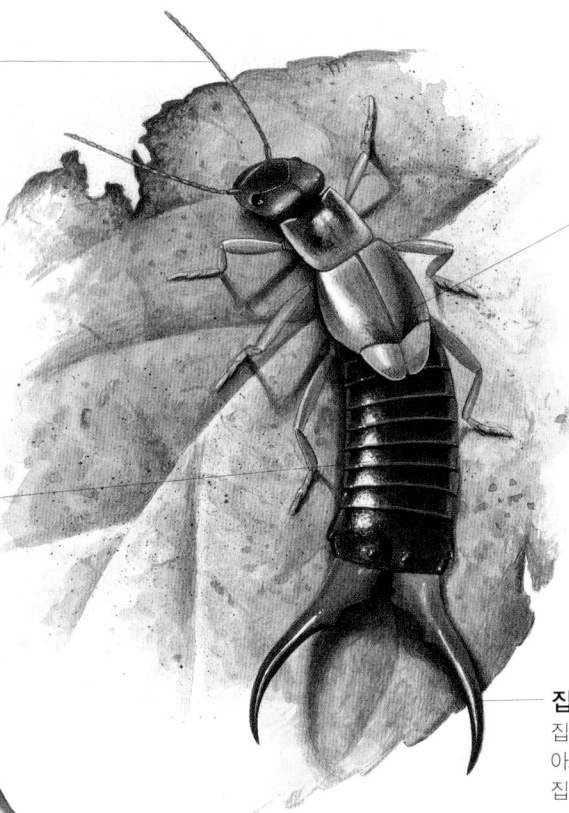

날개
거칠고 갈색 빛인
앞날개는 부채 모양의
뒷날개를 덮고 있다.

배
진한갈색의 배는
비교적 길고
근육질이며,
나뉘어져 있다.

집게발
집게발로 물 수는 있지만
아프지는 않다.
집게발로는 날개를 접는다.

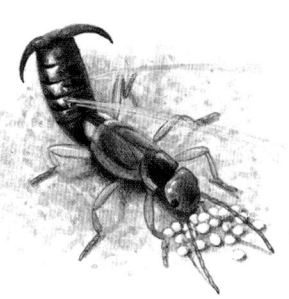

암수 구별하기
수컷의 집게발(왼쪽)은 암컷의 집게발
(오른쪽)보다 훨씬 더 구부러져 있다.

비행하기
집게벌레는 때에 따라 상당히
잘 날지만, 그들의 위험에 대한
일반적인 반응은 시야에서
종종걸음쳐서 사라지는 것이다.

암컷 집게벌레와 알들

집파리
Common House Fly

생태 정보
길이: 0.6~0.7cm
성적 성숙: 생애주기 7~41일
(온도에 따라 달라진다.)
알 수: 3~4일 이상 걸려
최대 500개의 알을 낳는다.
부화 기간: 8~20시간,
(온도에 따라 달라진다.)
서식지: 적응력이 뛰어나
도시와 교외 지역 모두에서
나타나며, 종종 건물 안까지
들어온다.
먹이: 배설물, 가정용 쓰레기
수명: 성체는 25~62일

집파리는 지구에서 가장 위험한 곤충 가운데 하나이다.
독성이 있기 때문이 아니라, 질병을 퍼트릴 수 있기 때문이다.

집파리는 특히 날씨가 덥고 폭풍우가 칠 때 더 잘
눈에 띈다. 집파리는 낮에 활동적인데 배설물을
찾아다니거나 고기가 포함된 쓰레기에 끌린다.
똥이나 쓰레기가 있는 주변 환경 아무곳이나 알을
낳는다. 이런 환경 덕분에 유충이 부화해 구더기가
나오고 구더기가 번데기가 되면 성인 집파리가
머리에 달린 주머니를 사용해 구더기 껍데기를
부수어 나올 수 있도록 도와준다.

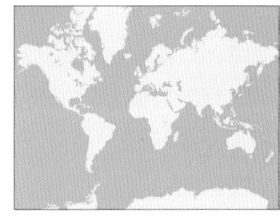

세계 어느 곳에?
중앙아시아의 평야에서 처음 발견되었지만
오늘날 집파리는 전 세계에 분포되어 있다
특히 도시 생활에 잘 적응해 왔다.

얼마나 클까?

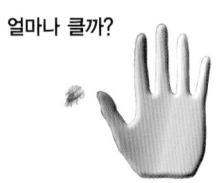

천연색
집파리의 몸 색깔은
검정빛이며, 약간 윤이 난다.
날개는 투명하다.

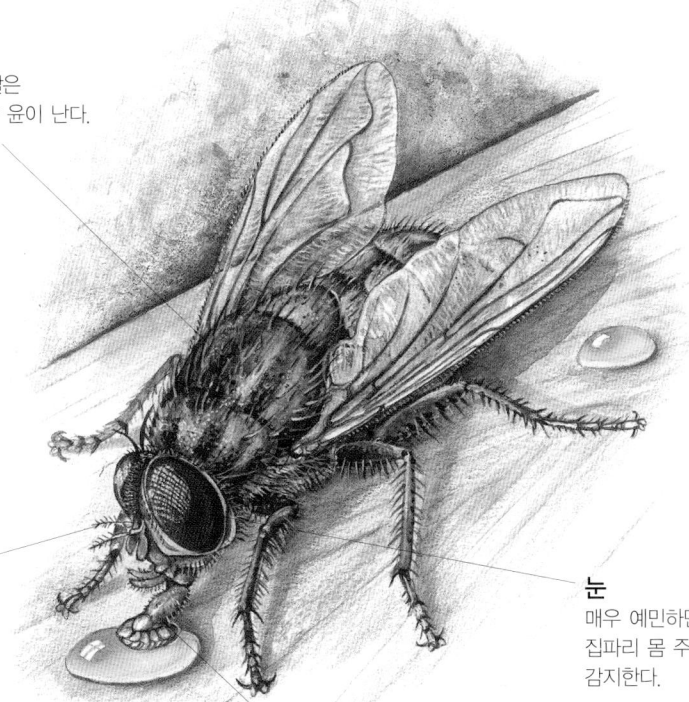

촉수
감각 돌기는
커다란 두 눈
사이에 있는데,
작고 짧다.

눈
매우 예민하면서 큰 겹눈은
집파리 몸 주변의 움직임을
감지한다.

주둥이
먹이를 먹는 관은 먹이를 액화시켜서
빨아 먹도록 해 준다. 주둥이는 보통
박테리아로 심하게 오염되어 있다.

알 낳기
암컷 집파리는 똥 위에 하얀 알을
낳는다. 유충(오른쪽)은 부화하게 되면
몸을 움직여 건조되는 것을
피할 수 있다.

먹는 습성
집파리는 소화 효소를
사용해서 먹이를
액화시킨다. 소화 효소를
주둥이에서 방출시킨 후,
영양분이 풍부한 용액을
빨아 먹는다.

유럽지렁이
Common European Earthworm

이 무척추동물은 몸 전체로 피를 보내기 위해 연속된 5개의
심장을 가지고 있으며, 2개의 정맥이 몸 전체를 연결하고 있다.

지렁이는 나뭇잎을 먹고 그것을 흙 속에서 분해하여
토양의 상태를 유지하는 핵심적인 역할을 한다. 특히
비가 많이 내린 다음이면 지표면에서 쉽게 볼 수 있다.
지렁이는 이 시기에 짝을 휘감으며 짝짓기를 한다.
지렁이들은 수컷과 암컷의 성 기관을 모두 가지고 있는
암수 한몸이다. 알 껍질은 환대에서 만들어지며,
그곳에서 자신의 난자가 다른 지렁이의 정자와
섞이게 된다.

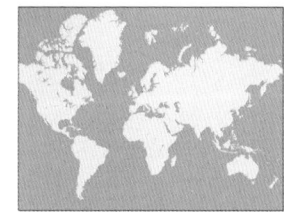

세계 어느 곳에?
이 지렁이들은 유럽 태생이지만,
캐나다, 미국, 뉴질랜드 등 세계의
다른 많은 지역들에도 유입되었다.

얼마나 클까?

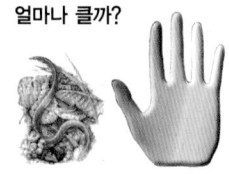

머리
머리는 환대에 가장 가까운
몸의 끝부분이며, 머리를 통하여
음식물들이 소화기관으로
직접 유입된다.

몸구조
몸은 고리 또는
링 구조로 되어 있으며
움직이기 위해
늘어날 수 있다.

안장 또는 환대
다 자란 지렁이들에서
나타나는 더 넓고
더 옅은 부분이다.

천연색
전체적으로
붉은 색이며
가끔 검은
반점을 띤다.

공격을 받으면
새들과 같은 포식자들은 지렁이들을 구멍으로부터
당겨 꺼내려고 하는데, 지렁이들은 강모(剛毛, seta)라 불리는
몸에 있는 작고 거센 털을 이용하여 자신의 몸을 고정시킬 수 있다.

굴 파기
지렁이는 땅 위로 올라오면
금방 탈수되기 때문에
건조한 환경에서는 더 깊비
굴을 파들어간다.

방패벌레
Shield-Backed Bug

생태 정보
길이: 0.6~1.5cm
성 성숙: 1년에 1세대를 생산
(특히 북쪽 지역에서)
알의 개수: 30~75개의 알을
함께 낳고 암컷의 몸에 의해
보호된다.
부화 기간: 70~100일.
애벌레들은 5번의 탈피를
거쳐 성충으로 자란다.
서식지: 개활지, 들판이나
약하게 수풀이 우거진 지역
먹이: 식물의 수액을 먹기
때문에 식물들에겐 해충이다.
수명: 1년

매력적인 색상으로 인해 종종 보석 벌레(jewel bug)로 알려진 이 곤충들은 고약한 냄새를 발생시켜 잠재적인 포식자들로부터 자신들을 보호한다.

방패벌레는 종종 딱정벌레들과 혼동되지만, 등에 있는 소순판이 2개로 나누어지지 않아 몸 위에서 방패 모양을 형성하기 때문에 쉽게 구별할 수 있다. 450개 이상의 종들이 밝혀졌으며 80개의 카테고리로 나뉘어져 있다. 어떤 것들은 심각한 해충이어서 밀이나 면 등의 중요한 농작물에 심각한 피해를 준다. 암컷들은 나뭇잎의 밑면에 알을 낳으며 알과 새로 부화한 새끼들을 보호한다.

세계 어느 곳에?
광대노린재과의 곤충들은 전 세계적으로 분포한다. 아메리카 대륙에서는 극지방부터 아래로 남아메리카까지 확장된다. 또한 유럽, 아시아, 호주에서도 나타난다.

얼마나 클까?

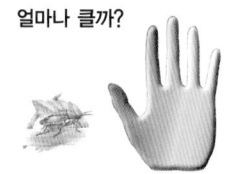

천연색
선명한 색과
두드러진 반점들은
포식자들에게 경고의
역할을 한다.

머리
머리는 삼각형
형태이며, 눈은
작고 간격이 잘
벌어져 있다.
더듬이는 3~5개의
마디로 이루어져
있다.

소순판
이 딱딱한 덮개는
복부 전체와 날개로 이어진다.

다리
다리는 튼튼하며 작은
못 같은 것들로 보호되어
잘 기어오를 수 있도록
도와준다.

짝짓기
일 년 중 따뜻한 시기에
번식이 이루어진다.
암컷이 수컷보다 더 큰 편이다.

수액 빨아들이기
다양한 방패벌레들은 서로 다른 식물들을
선호하는데 주둥이로 식물의 줄기에
구멍을 내서 수액을 섭취한다.

꿀벌
Honeybee

생태 정보
길이: 일벌은 1~1.5cm,
여왕벌은 1.8~2.2cm
성 성숙: 23일
알의 개수: 매일 최대
2,000개, 하나의 집단에는
80,000마리의 벌들이
존재한다.
발달 기간: 21일이면 알에서
일벌로 자라게 된다. 16일이면
여왕벌로 자란다.
서식지: 근처에 꽃피는
식물들이 있는 개활지
먹이: 꽃가루와 꿀
수명: 여왕벌은 3~5년,
일벌들은 여름에 4주.
겨울에는 더 오래 산다.

꿀벌들은 경제적인 관점에서 볼 때 세상에서 가장 중요한 곤충이다.
농작물을 수분시키고 꿀을 제공하는 목적으로 길러지기 때문이다.

사회적 곤충인 이 꿀벌들은 집단으로 함께 살며 다양한
일들을 수행한다. 일벌들은 꿀을 모으거나 새끼들을
보살피고 벌집을 지키는 일을 맡고 있다.
여왕벌은 집단 내에서 생식능력을 보유하여,
여왕벌의 때이른 죽음은 벌들의 존재 자체를 위협한다.
그러나 정상적인 상황에서는 어린 여왕벌이 그전에
미리 여왕벌의 자리를 이어 받는다. 짧게 사는 수벌들은
어린 여왕벌과 짝짓기 하는 것이 유일한 역할이다.

세계 어느 곳에?
야생종들의 분포에 근거하여 추정할 때
꿀벌의 기원은 아시아 남부이다. 하지만
3500만 년 이전에 이미 유럽 지역에
나타났다.

얼마나 클까?

92

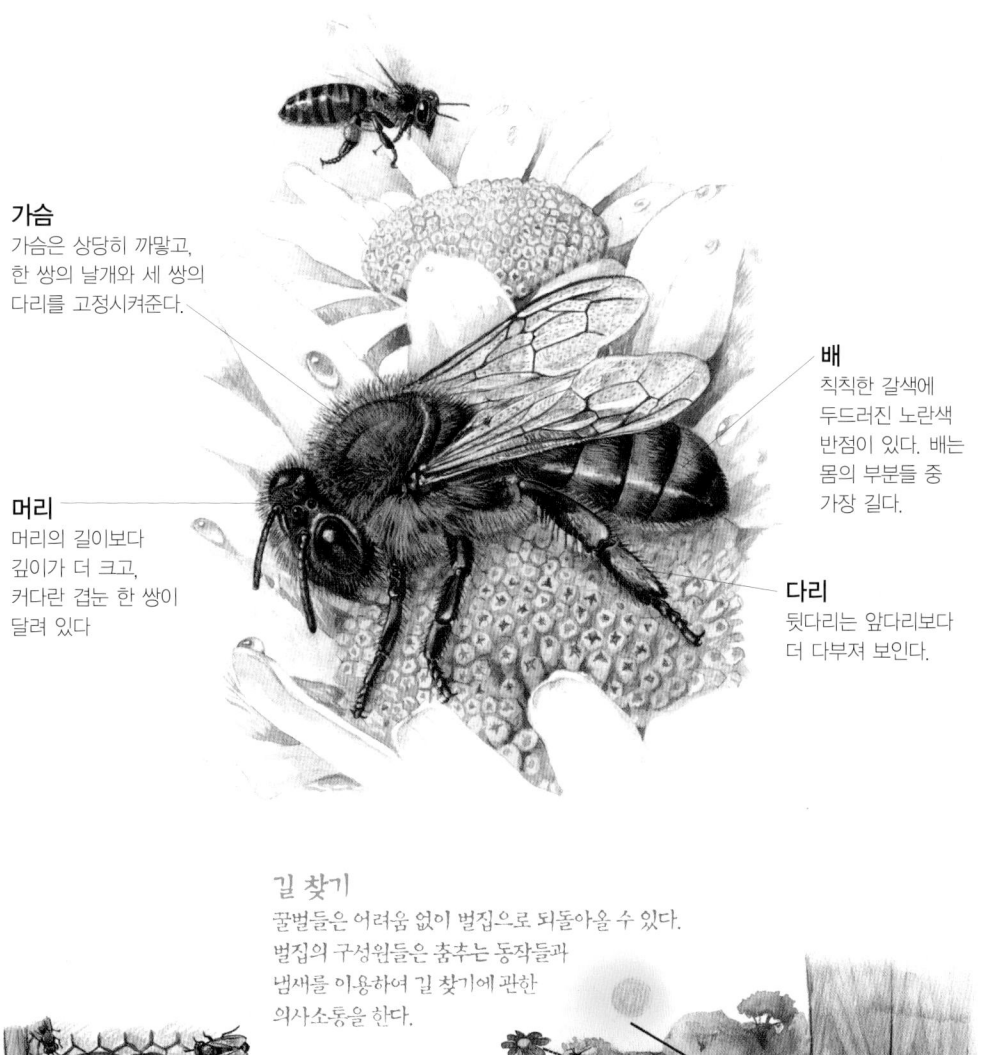

가슴
가슴은 상당히 까맣고,
한 쌍의 날개와 세 쌍의
다리를 고정시켜준다.

배
칙칙한 갈색에
두드러진 노란색
반점이 있다. 배는
몸의 부분들 중
가장 길다.

머리
머리의 길이보다
깊이가 더 크고,
커다란 겹눈 한 쌍이
달려 있다

다리
뒷다리는 앞다리보다
더 다부져 보인다.

길 찾기
꿀벌들은 어려움 없이 벌집으로 되돌아올 수 있다.
벌집의 구성원들은 춤추는 동작들과
냄새를 이용하여 길 찾기에 관한
의사소통을 한다.

벌집은 먹이채집활동을 마치고 돌아오는
일벌들에 의해 만들어진다.

서양땅뒤영벌

Buff-Tailed Bumblebee

생태 정보
길이: 일벌은 1.5~2cm,
여왕벌은 최대 2.7cm
성 성숙: 수컷들은 몇 주 이내,
여왕벌은 1년
알의 개수: 약 1,000개
(여왕벌이 낳는다.)
성장 기간: 5주면 유충에서
일벌로 자라게 된다.
서식지: 근처에 꽃피는
식물들이 있는 개활지
먹이: 꽃가루와 꽃의 꿀
수명: 여왕벌은 1년,
일벌들은 몇 주

**이 서양땅뒤영벌의 생활 주기를 보면 수태한 어린 여왕벌들이
겨울철을 이기고 살아남고, 이전 집단은 추운 겨울에 죽는다.**

여왕벌들은 연초에 동면에서 나오지만 꿀은 쉽게
구할 수 없을지 모른다. 여왕벌은 스스로 둥지를
만들며, 암컷 일벌들을 생산할 알을 낳는다.
암컷 일벌들이 신속하게 집단을 건설하는 것을 돕는
동안 여왕벌은 계속 알을 낳는다. 수컷들은 늦여름에
어린 여왕벌들과 함께 태어나며, 짝짓기를 위해 둥지를
떠난다. 이후 수컷들은 곧 죽고, 새로운 여왕벌들은
겨울이 오기 전에 동면하기 위한 포근한 장소를 찾는다.

세계 어느 곳에?
유럽 전역에 나타나지만 보통 겨울철에는
안 보인다. 그러나 온화한 겨울의 어떤
지역들에서는 여왕벌들이 동면하지 않고
담쟁이덩굴 꽃을 먹고 사는 것을 볼 수 있

얼마나 클까?

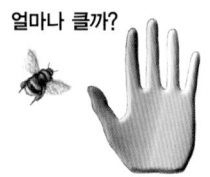

천연색
일벌들은 배에 하얀 털이 있는 반면,
그보다 더 큰 여왕벌의 배는
주황빛을 띤 노란색이다.

날개
날개부분은
외형적으로 투명하여
정맥이 보일 정도이다.

배
벌들의 윙윙거리는
소리는 벌들이 날 때
배에 있는 구멍에서
추진되어 나오는
공기에 의해 발생한다.

열매 맺기
일벌들이 꿀과 꽃가루를 모으는 역할을 하면서
꽃들도 수정될 가능성이 더 커지게 된다.

꽃가루 운반 장소
벌은 꽃가루 알갱이들을 운반하는데, 그것은
단백질 생성의 중요한 요소이다. 뒷다리에 있는
특별한 꽃가루 주머니에 담아 둥지로 돌아온다.

벌들은 3쌍의 다리를 가지고 있는데
더 날씬한 앞다리(오른쪽)와 뒷다리(왼쪽)의 차이는
그림에서 보는 바와 같이 확연하다.

행군개미(군대개미)
Foraging Ant

생태 정보
길이: 일개미는 0.3∼1.2cm,
여왕개미는 더 크다.
성 성숙: 수컷들은 번데기에서
탈피한 후 짝짓기를 하고
48시간 내에 죽는다.
알의 개수: 수천 개의 알을
낳으며, 집단은 200만 마리의
개미들로 구성된다.
성장 단계: 알이 부화되어
애벌레가 되고 다시 탈피한다.
서식지 : 열대림 지역
먹이: 무척추동물, 작은 척추
동물, 썩은 고기를 먹고 산다.
수명: 여왕개미는 3∼5년,
일개미들은 몇 개월

엄청난 수의 행군개미들은 숲의 바닥을 행군하듯이 지나가면서
잡을 수 있는 모든 것들을 게걸스럽게 먹어 치운다. 또한
자신들보다 훨씬 큰 무척추동물들을 제압한다.

이 개미들이 이동할 때 열병하듯이 줄을 맞추어
움직이는 모습에서 군대개미라고도 알려지게 되었다.
매일 밤 멈춰서 나무에 야영지, 즉 임시 거처를 만든다.
여왕개미는 3주 주기로 계속 알을 낳으며, 일개미들은
새로운 성충이 번데기에서 나오는 것을 돕고 알들은
부화하여 유충이 되도록 자극된다. 유충들은 스스로
번데기가 될 때까지 뚜렷한 5단계를 거치게 된다.

세계 어느 곳에?
중앙아메리카와 남아메리카의 우림 전역에서
볼 수 있는데, 최대 6m의 길이까지 무리를
이루고 있다. 행군 개미들은 또한
임시 야영지를 만들기도 한다.

얼마나 클까?

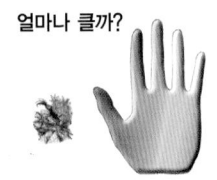

입

집단 내의 병정개미들은
입부분이 길고 갈고리
모양으로 굽어져 있으며
무시무시해서, 병정개미들이
집단을 지키는 데
도움이 된다.

가슴

가슴은 비교적 길지만
또한 가늘다. 특히
배 근처에서 가늘다.

다리

다리는 긴데, 이는
행군 개미들이
보폭을 증가시키며
끊임없이 이동한다는
사실을 나타낸다.

방어 전략

행군 개미들 중에서
몇몇 일개미들은 상당히
크다. 이 개미들이 무리를
지키는 병사개미들이다.

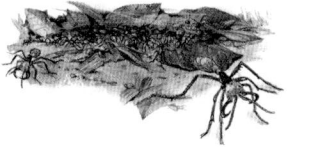

천연색

머리와 복부는 노란색을 띠고
가슴은 검다.

먹잇감 제압하기

하나의 병사개미가 먹잇감을 꽉 잡고 다른 개미들이
이를 도와 불운한 생물체를 제압한다.
이 개미들은 상당히 강하고
강력한 침을 지니고 있다.

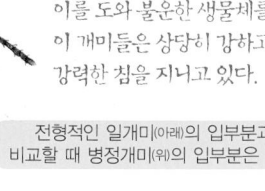

전형적인 일개미(아래)의 입부분과
비교할 때 병정개미(위)의 입부분은 넓다

붉은 산림개미
Red Wood Ant

생태 정보
길이: 일개미는 1~1.5cm,
여왕개미는 더 크다.
성 성숙: 수컷들은 번데기에서
탈피한 후
알의 개수: 여왕개미는
수천 개의 알을 낳으며,
몇몇 일개미들이 알을
낳기도 한다.
성장 단계: 알이 부화되어
애벌레가 되고 번데기가 된다.
서식지: 산림지역
먹이: 잡식성. 꿀을 얻기 위해
진딧물을 짜먹는다. 애벌레와
같은 무척추동물들을 죽이고
죽은 고기를 먹는다.
수명: 여왕개미는 5년,
일개미들은 2~3주 정도

이 개미들의 집은 50만 마리 이상으로 구성되며, 경우에 따라
개미집 여러 개가 가까운 거리에 위치하는 경우도 있다.

이 개미들의 집은 높이 1m, 직경 2m가 되기도 하며
소나무 잎 같은 물질로 만들어진다.
개미집은 강하게 방어되는데, 심지어 조금만 가까이
다가가도 강한 반격을 받게 되며, 일개미들은 개미산을
내뿜는다. 개미집은 종종 나무 그루터기 주위에
만들어지며, 통풍 통로가 설치된다. 붉은 산림 개미의
분류에 대해서는 계속 논의가 진행 중이며, 매우 비슷한
개미들이 북아메리카에서 발견되고 있다.

세계 어느 곳에?
유럽과 아시아에서 발견되며, 이들의 분포
범위는 위로는 스칸디나비아의 침엽수까지
남쪽으로는 지중해까지,
동쪽으로는 러시아까지 확장된다.

얼마나 클까?

머리
상당히 크고
강력한 입부분으로
무장되어 있다.

배
상대적으로 크며,
색깔은 검다.
고통스러운 침을
가할 수 있는 능력을
보유하고 있는 곳이다.

가슴
가슴은 몸에서 좁은 부분이며,
세 쌍의 모난 다리들을
지탱해주고 있다.

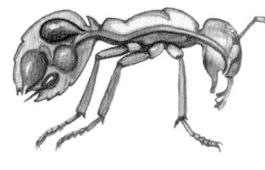

어떻게 작용하는가
개미의 소화기 계통을 보여주고 있는 이 단면도는
기관들이 배에 집중되어 있음을 보여준다.

개미집
개미집 단면도는 입구의 범위와
육아실을 보여주고 있다.
이 육아실에서 일개미들이
새끼들을 키운다.

일개미들은
둥지를 지키기 위해
다른 개미들과 싸울 것이다.

말벌
European Hornet

생태 정보
길이: 일벌은 1~1.5cm,
여왕벌은 약 3.5cm
성적 성숙: 번데기 탈피 후,
어린 여왕벌만이 겨울을 난다.
산란 수: 여왕벌은 여름에
수천 개의 알을 낳는다.
성장 기간: 알에서 성체가
되는데 30일이 걸린다.
서식지: 일반적으로 숲이
약간 우거진 지역에서
속이 빈 나무에 산다.
먹이: 수액을 얻기 위해
식물을 공격하면서 나무
껍질을 손상시킨다. 과일을
먹기도 한다.
수명: 여왕벌은 1년,
일벌은 최대 4주

말벌은 불쾌한 침을 쏠 수 있지만, 실제로 말벌은 공격적이지
않고 자신이나 벌집이 직접적으로 위협을 받을 때만 쏜다.

말벌은 부분적으로는 말벌이 내는 소리 때문에
위협적으로 보이지만, 가능하면 대치하지 않으려 한다.
인간과 문제가 생길 때는 흔히 말벌이 나무가 아닌
가정집 천장 공간에 벌집을 짓기 때문이다. 주거 지역에
말벌이 살 수 있는 가능성이 더 높아지면서 말벌의
배설물로 인해 불쾌한 냄새가 날 수 있다.
말벌은 밤에 불빛에 이끌리는데, 이는 주거 지역에
더 큰 문제를 가져올 수 있다.

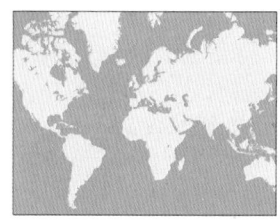

세계 어느 곳에?
영국 남부와 스칸디나비아에서 아시아
동부까지 나타난다. 뉴욕에 1840년경 처음
유입되었고, 오늘날 미시시피 동부에서 찾을
수 있으며 계속해서 서쪽으로 퍼지고 있다.

얼마나 클까?

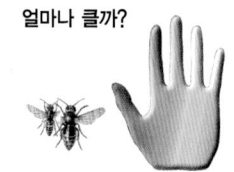

머리
머리는 맨 윗부분이 진한 붉은 색을
띠고, 뚜렷한 겹눈이 있다.

가슴
가슴 또한 진한 빨간색으로,
길고 폭이 좁은 날개가
가슴에 붙어 있다.

배
배는 검정색과 노란색이
섞여 있고, 몸에서 제일
긴 부분이다.

벌집 재료 모으기
말벌은 죽은 나뭇가지나 목재에서
나무 섬유를 모아 벌집을 짓는다.
나무 섬유는 질감이 두꺼운 종이와 비슷하다.

벌집
여왕벌은 봄에 벌집을 짓기 시작해서 여름이 되면
무려 400마리나 되는 일벌이 살 수 있게 된다.

여왕벌(오른쪽)은 일벌보다 더 크다.

땅벌
Common Wasp

생태 정보
길이: 일벌은 1.9cm,
여왕벌은 약 3.5cm
성적 성숙: 번데기 탈피 후,
어린 여왕벌만이 겨울을 난다.
산란 수: 여왕벌은 수천 개의
알을 낳는다.
성장 기간: 알에서 성체가
되는데 30일이 걸린다.
서식지: 정원과 공원, 숲이
약간 우거진 지역
먹이: 다른 곤충을 사냥해서
벌집으로 가져오고 다른 벌의
벌집을 습격한다. 과일을
먹으며 쓰레기 더미를
뒤지기도 한다.
수명: 여왕벌은 1년,
일벌은 최장 4주

매우 사회적인 이 땅벌은 최대 만 마리까지 군집을 이루어 산다.
인간의 음식에 이끌리며, 먹이 찾는 일을 쉽게 단념하지 않는다.

땅벌의 벌집은 목재 펄프와 침을 섞어 만드는데,
마르면서 단단해진다. 땅벌은 천성적으로 공격적이고,
망설임 없이 침을 쏜다. 다른 벌들과 다르게, 한 번의
침을 쏜 후 죽지 않고, 반복해서 침을 쏠 수 있다.
땅벌의 독에는 페로몬이라 불리는 화학적 메신저가
들어 있어 기류를 타고 퍼진다. 그 지역에 있는
다른 땅벌들이 페로몬을 위험 신호로 인식하고
침을 쏠 가능성이 더 높아진다.

세계 어느 곳에?
연중 따뜻한 달 동안 유럽 전역에서 흔하게
볼 수 있지만, 늦여름과 이른 가을에 더 많이
볼 수 있다. 뉴질랜드와 오스트레일리아에도
소개되었다.

얼마나 클까?

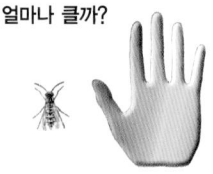

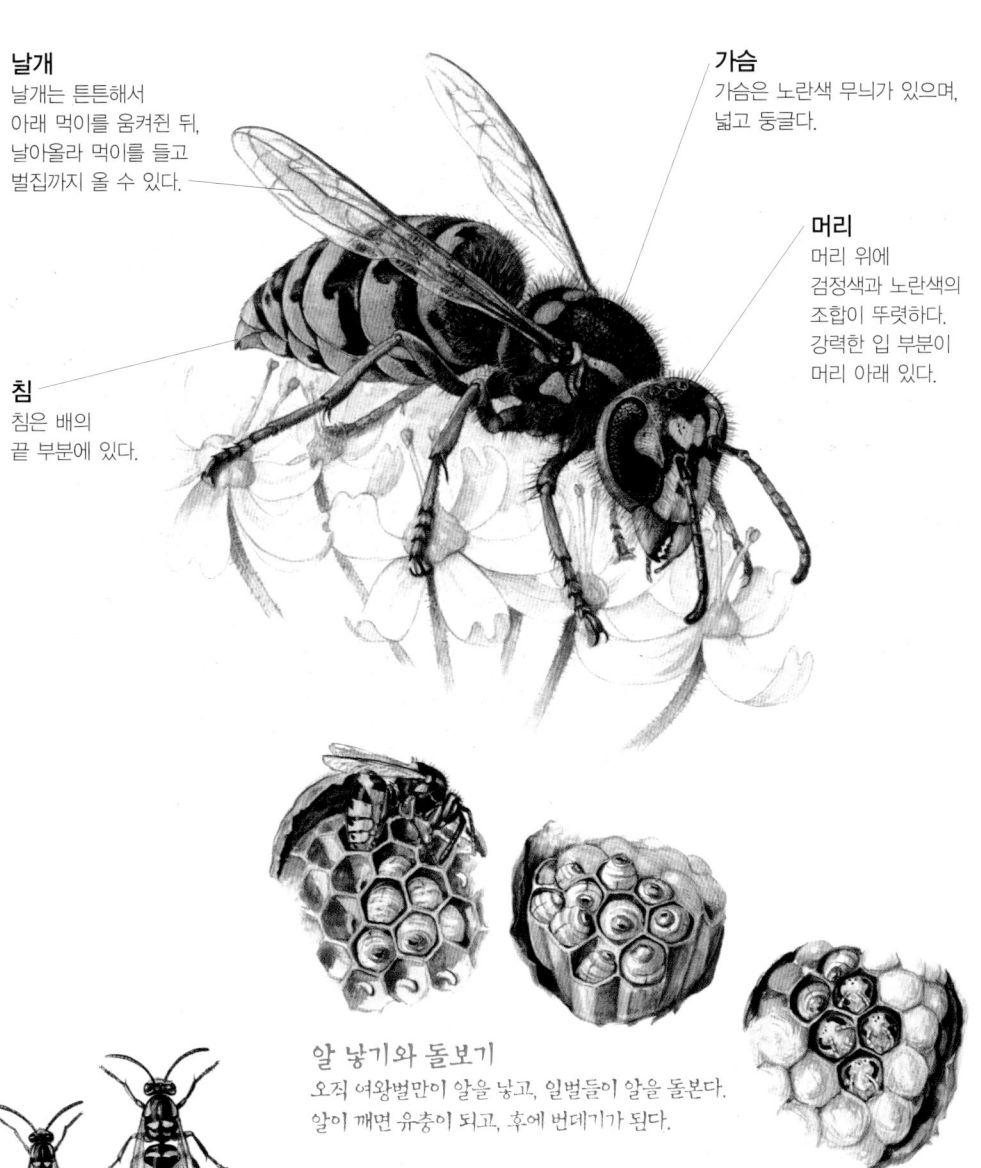

날개
날개는 튼튼해서
아래 먹이를 움켜쥔 뒤,
날아올라 먹이를 들고
벌집까지 올 수 있다.

가슴
가슴은 노란색 무늬가 있으며,
넓고 둥글다.

머리
머리 위에
검정색과 노란색의
조합이 뚜렷하다.
강력한 입 부분이
머리 아래 있다.

침
침은 배의
끝 부분에 있다.

알 낳기와 돌보기
오직 여왕벌만이 알을 낳고, 일벌들이 알을 돌본다.
알이 깨면 유충이 되고, 후에 번데기가 된다.

여왕벌 땅벌(오른쪽)과 일벌 땅벌(왼쪽)

터마이트
Termite

생태 정보
길이: 0.4~2cm
성적 성숙: 나이 든 여왕개미는
대체되며, 어떤 군집은 100년을
넘게 지속된다.
알 수: 여왕개미는 매일
2000개의 알을 낳는다.
발달: 유충은 탈피를 5번
한 뒤 번데기를 거쳐
성체가 된다.
서식지: 사바나를 비롯한
나무가 있는 지역 어디든지
서식한다.
먹이: 식물에 있는 셀룰로스
수명: 여왕개미는 10~25년,
다른 개미들은 최대 몇 달

터마이트는 최대 수백만 마리까지 모여 군집을 이루며 산다. 종종
흰개미라고 불리기도 하지만, 실제로는 개미와 뚜렷이 구분된다.

터마이트 종의 수는 4000여 종 이상 될 것이라
여겨지지만, 최근 학자들은 2600여 종만을 분류했다.
죽은 식물을 분해하기 때문에 터마이트는 이로운
동물이지만, 건물과 농작물을 파괴하여 경제적 손실을
가져오기도 한다. 터마이트가 널리 퍼져 있는 지역은
목재 대신 강철 같은 다른 건축 자재가 주로 쓰인다.
어떤 나무는 터마이트의 공격으로부터 자신을 보호할
수 있는 화학 물질을 함유하고 있는 것도 있다.

세계 어느 곳에?
따뜻한 지역에서 발견되며, 북위 50도와
남위 50도 사이에서 나타난다. 지중해 지역
열대 우림에서 가장 흔하게 볼 수 있다.

얼마나 클까?

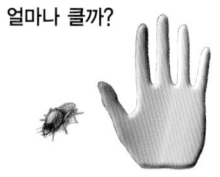

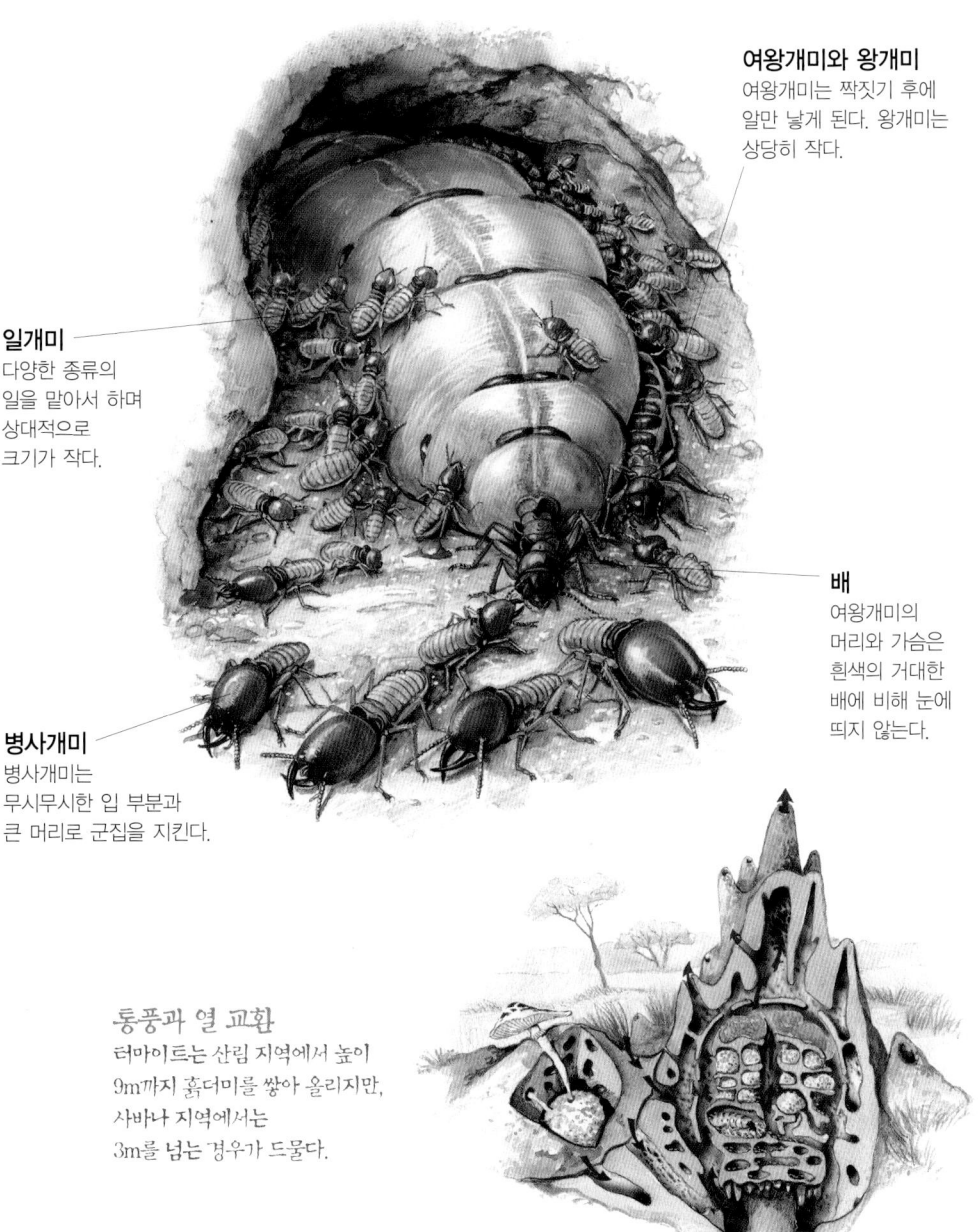

여왕개미와 왕개미
여왕개미는 짝짓기 후에
알만 낳게 된다. 왕개미는
상당히 작다.

일개미
다양한 종류의
일을 맡아서 하며
상대적으로
크기가 작다.

배
여왕개미의
머리와 가슴은
흰색의 거대한
배에 비해 눈에
띄지 않는다.

병사개미
병사개미는
무시무시한 입 부분과
큰 머리로 군집을 지킨다.

통풍과 열 교환
터마이트는 산림 지역에서 높이
9m까지 흙더미를 쌓아 올리지만,
사바나 지역에서는
3m를 넘는 경우가 드물다.

유럽 푸른부전나비
Common Blue Butterfly

생태 정보
길이: 애벌레는 1cm 정도
나비의 날개폭은 평균 3.5cm
성적 성숙: 번데기 탈피 후
알 낳기: 각각 따로 낳는다.
성장 기간: 약 6주 만에
알에서 성체가 된다.
부화하는 데 1주일
번데기 상태는 2주간 유지
서식지: 목초지, 풀밭,
황야와 삼림 지대의 빈터
먹이: 애벌레는 삼엽형 식물과
흰꽃클로버를 먹고 나비는
꿀을 먹는다.
수명: 나비는 약 21일

유럽 푸른부전나비는 유럽에서 발생하는 가장 많은 나비인데,
북쪽으로는 오크니 제도와 스코틀랜드에서 떨어진
아우터헤브리디스 제도에서도 찾아볼 수 있다.

유럽 푸른부전나비의 생활주기는 특이한데,
민달팽이처럼 생긴 애벌레 단계로 겨울을 보내기
때문이다. 애벌레는 감로(허니듀)라 불리는 달콤한
물질을 만들며, 이 감로에 개미가 모여든다.
남쪽 지역에 사는 종 중에는 두 세대가 여름에
부화하는 나비가 있지만, 북쪽 지역에서는
한 세대만 여름에 부화한다.

세계 어느 곳에?
유럽 전역에 살고 있으며, 아시아의
온화한 지역과 지중해를 가로질러
북아프리카까지 퍼져 있다.

얼마나 클까?

천연색
오직 수컷만이
주로 파란색이다.

경계
가느다란 흰 색 줄무늬가
날개 가장자리 주변에 둘러 있다.

알
신선하게 자라나는 식물에
알을 따로따로 낳는다.

알낳기
눈에 띄는 노란색 꽃이 있는
벌노랑이는 유럽푸른부전나비가
알 낳는 곳으로 선호하는 식물이다.

생활 주기

다른 나비들처럼, 암컷이 알을 낳으면 부화하여
애벌레라 불리는 유충이 된다. 애벌레는 식물을
먹으며 번데기가 되기 직전의 크기로 자란다.
번데기가 되면 기본적으로 움직임이 없어진다.
그러나 번데기 상태일 때 급진적인 변화가
일어나는데, 번데기가 열리고 성체 나비가
나타나면 분명하게 알 수 있다.

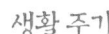

성체 나비는 주둥이를 풀어서 꿀을 빨아 먹는다.

번개 오색나비
Purple Emperor

생태 정보
길이: 날개폭은 평균 8cm
성적 성숙: 번데기 탈피 후
알 낳기: 각각 따로 낳는다.
성장 기간: 8월에 부화하여
애벌레 상태로 겨울을 난다.
생활 주기는 여름에 끝난다.
서식지: 삼림 지대. 수컷은
구애 장소를 가지고 있다.
먹이: 애벌레는 밤에 갯버들과
버드나무를 먹는다.
암컷은 특히 나무를 먹지만,
수컷은 종종 인간의 땀을
마시기도 한다.
수명: 나비는 약 28일

번개 오색나비는 땅에서 먹이를 먹기보다는 나무 위에서 살기 때문에 관찰하기 어렵다. 영국 삼림 지대에 사는 나비 중 가장 큰 나비이다.

번개 오색나비는 6월 중순과 8월 중순 사이에 가장 많이 볼 수 있다. 수컷은 후각이 특별히 발달하여 죽은 고기나 똥으로 이끄는데, 심지어 녹은 포장용 타르로 이끌어 치명적인 결과를 맞기도 한다. 또한, 번개 오색나비는 진딧물이 만들어 내는 감로(설탕이 든 분비물)를 먹기 위해 진딧물을 찾기도 한다. 번개 오색나비의 주둥이는 흔하지 않은 선명한 노랑빛이다.

세계 어느 곳에?
유럽 중부에서 나타나며, 북쪽으로는 영국 중남부, 덴마크, 스웨덴 남부와 에스토니아까지 퍼져 있다. 남쪽으로는 그리스와 이베리아 반도 북부에서 발견된[

얼마나 클까?

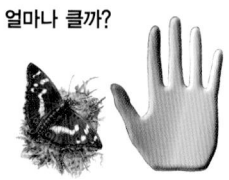

날개
보랏빛 훈색은
날개 중앙에 있으며,
수컷에게만 분명하게
나타난다.

더듬이
머리 맨 위에
달려 있으며,
감각 정보를
전달한다.

홑눈
날개에 있는
이 원형 부분은
포식자를 제지하는 데
쓰이며, 눈같이 생겼다.

날개 무늬
줄무늬는
배에서부터
퍼져 나오는데,
무작위로 있는
점무늬로
흩어진다.

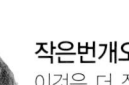

작은번개오색나비
이것은 더 작은 종(A. ilia)이다.
역시 유럽 중부에 나타나지만,
영국 제도에서는 찾을 수 없다.

알 낳기
암컷은 버드나무와 갯버들을 찾아서
알을 낳는다. 애벌레는 대부분
초록색이고, 한 쌍의 뿔이 있다.

왕나비
Monarch Butterfly

생태 정보
길이: 날개폭은 약 10cm
성적 성숙: 번데기 탈피 후
알 낳기: 각각 따로 낳는다.
성장 기간: 부화는 4일
애벌레는 2주 뒤에 번데기가
된다. 비슷한 기간 후에
성체 나비로 나온다.
서식지: 탁 트인 시골과
삼림 지대
먹이: 애벌레는 아스클레
피아스를 먹고 나비는
꽃에서 꿀을 빨아 먹는다.
수명: 나비가 이른 여름에
나왔다면 2~8주를 산다.

1g도 채 되지 않는 왕나비는 가장 극적인 이동을 하는
동물 중 하나로, 감각 기관이 허약하기 때문에 이렇게
이동한다는 사실이 더욱 놀랍다.

8월에 시작해서 가을에 첫 서리가 내릴 때까지
왕나비는 겨울을 보내기 위해 무리 지어 남쪽의
멕시코 또는 캘리포니아 일부 지역으로 향하는데,
두 달 동안 최대 4500km까지 이동한다.
왕나비의 수명은 극적으로 연장되어 7개월 또는
그 이상 살 수 있게 되며, 이동을 마치고 다시 북쪽으로
돌아갈 수 있다. 왕나비는 대단한 방랑자로,
대서양을 건너 유럽까지 간다고 알려져 있다.

세계 어느 곳에?
북아메리카 대부분 지역과 아래로는
남아메리카의 아마존 지역에 나타난다.
유럽 여러 지역과 오스트레일리아,
뉴질랜드에서도 발견된다.

얼마나 클까?

날개
가슴에 붙어 있으며,
수직으로 접힌다.

천연색
주황색 바탕에
검정색 줄무늬가 있다.
수컷은 뒷날개 중앙에
검정색 점이 있다.

몸
왕나비는 머리, 가슴, 배의
전형적인 곤충의 분할을 보인다.

날개 끝부분
날개 끝부분은 검정색이고,
일련의 흰 색 점들로
장식되어 있다.

맛없는 먹이(Bad eating)
애벌레는 아스클레피아스를 먹는다.
이 식물에서 나오는 독소가 성체
나비가 되어서도 체내에 남아 있어
왕나비를 맛없게 한다.

탈피하기
애벌레는 번데기 단계를 시작할 때
생명주실을 내서 이파리 아랫부분 또는
나뭇가지에 붙어 있는다. 나비는 반드시
날개를 부풀려야만 날 수 있게 된다.

모포나비
Morpho Butterfly

생태 정보
길이: 날개폭은 7.5~20cm
(종에 따라 다르다.)
성적성숙: 번데기 탈피 후
알: 담록색을 띤다.
성장 기간: 알에서 성체 나비가
되기까지 약 19.5주가 걸린다.
서식지: 열대 우림
먹이: 애벌레는 완두콩과 식물,
나비는 꿀과 과일즙을 먹는다.
수명: 나비는 약 4주

80종이 넘는 모포나비가 존재하며, 종종 금속성의 파란색이나 초록색을 띤다. 모포나비의 색깔은 빛의 효과로 인한 것이며, 보는 각도에 따라 다른 색을 낸다.

모포나비의 날개에 있는 인분은 독특한 모습을 만들어 내는데, 위조 방지 기술에서부터 직물 디자인까지 다양한 분야의 관심을 끌고 있다. 최소 한 종은 좀 더 전형적인 무지갯빛 무늬를 가지고 있고, 몇몇은 하얀색이다. 모포나비는 체내에 축적된 독성 화합물 덕분에 포식자로부터 스스로를 잘 보호하고 있다. 이 독성 화합물은 애벌레 때 먹은 식물로 인해 생긴 것이다.

세계 어느 곳에?
멕시코에서부터 중앙아메리카를 거쳐 남아메리카, 브라질에 분포한다. 모포나비는 숲에 살지만, 종종 숲의 빈터에서 발견되기도 한다.

얼마나 클까?

반짝거리는 표면
무지갯빛은 보는
각도에 따라 상당히
다양한 색깔로
나타나는데, 보통
모포나비의 색깔은
그렇지 않다.

겉모습
균일한 색깔은
날개를 덮고 있는 인분이
다이아몬드 같은 배열로
되어 있기 때문일 수도
있다고 여겨진다.

몸
몸은 색깔이 어둡고,
무지갯빛이 나지
않는다.

무늬
이런 형태의 무늬를 모든 종에서
다 볼 수 있는 것은 아니다.

위장
갈색 색조와 날개를 접었을 때 보이는
무늬 때문에 모포나비는 주변 배경에서
눈에 띄지 않을 수 있다.

붉은제독나비
Red Admiral Butterfly

생태 정보
길이: 날개폭은 최대 7.5cm
성적 성숙: 번데기 탈피 후
알: 암컷은 하루에 100개
성장 기간: 알에서 번데기가
되기까지 약 4주.
나비는 2~3주 후에 나온다.
서식지: 정원을 포함하여
탁 트이고 햇빛이 드는 지역
먹이: 애벌레는 쐐기풀을 먹고,
나비는 꿩의 비름속, 과꽃,
부들레아 같은 식물의 꿀과
썩은 과일을 먹는다.
수명: 나비는 4주~10개월

붉은제독나비는 봄에 첫 번째로 나타나는 나비 중 하나이다. 영국에서는 동면 후에 3월에 나타난다.

붉은제독나비는 정원에 사는 가장 눈에 잘 띄는 나비 중 하나로, 천성적으로 대담하고 텃세가 강하다. 장거리를 날아다니는 것은 흔한 일이며, 영국의 개체군은 따뜻한 달 동안 이주하는 나비들의 출현을 봐서는 매년 그 수가 늘어난다. 보통 여름 동안 두 세대가 만들어지며, 가을까지 생존한 붉은제독나비는 따뜻하고 건조한 지역을 찾아 이듬해 봄까지 동면한다. 따뜻한 기간 동안은 먹이를 먹기 위해 나타나기도 한다.

세계 어느 곳에?
유럽에서부터 아시아, 북아프리카, 아조레스제도, 지중해 섬들까지 분포한다. 캐나다, 과테말라, 하와이와 뉴질랜드에서도 발견된다.

얼마나 클까?

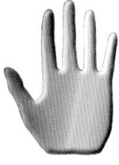

먹이 식물
암컷은 바로 이
쐐기풀(속명: Urtica)에
알을 낳는다.
홉과 펠리트륨에
알을 낳기도 한다.

날개 윤곽
날개 끝부분은
선천적으로
톱니 모양이다.

몸
몸은 상당히 다부지고
색깔은 거무스름하다.

띠 모양
뒷날개 뒤쪽에
주황색 테두리가 있다.
앞날개에도 비슷한
색깔의 띠가
가로지르고 있다.

애벌레는 잎사귀를 먹을 수 있는데,
단단한 구기로 끝 부분부터 야금야금 먹는다.
먹이를 먹지 않을 때에는 잎사귀 양 끝을
모아 자신의 존재를 숨긴다.

번식 주기
알을 확대한 모습으로,
쐐기풀에 붙어서 부분적으로
보호를 받는다.

붉은제독나비의 번데기는
겉모습이 매우 독특하다.

퀸 알렉산드라 버드윙
Queen Alexandra's Birdwing

생태 정보
길이: 몸은 7.5cm,
날개폭은 28cm
성적 성숙: 번데기 탈피 후
알 구체 모양으로, 덩굴 식물
잎사귀 뒤에 따로따로 낳는다.
성장주기: 알에서 성체가
되기까지 4개월이 걸린다.
서식지: 파푸아뉴기니 오로
지방(Oro Province)의 열대 우림
먹이: 애벌레는 위로 뻗는
덩굴 식물을 먹고 살고
나비는 꿀을 먹는다.
수명: 나비는 12주

화려하고 밝은 색깔의 퀸 알렉산드라 버드윙은 작은 새 정도의
크기로, 세계의 17,500종 중 가장 큰 나비이다.

단지 크기 때문에 버드윙(birdwing)이라 불리는 것은
아니다. 대부분의 시간을 숲 속 나뭇가지가 우거진
곳에서 보내면서 그곳에서 자라는 꽃을 먹으며 중요한
꽃가루 매개자 역할을 하는 생활습관 때문이기도 하다.
애벌레는 독성이 있는 덩굴 식물을 먹고 체내에
치명적인 화학물질을 남겨 잡아먹히지 않는다.
암컷은 수컷에 비해 훨씬 덜 화려하며,
보통 갈색에 크림색 반점이 있다.

세계 어느 곳에?
인도와 동남아시아에서부터 아래로는
파푸아뉴기니와 솔로몬 제도를 거쳐
오스트레일리아의 북동부까지
널리 퍼져 있다.

얼마나 클까?

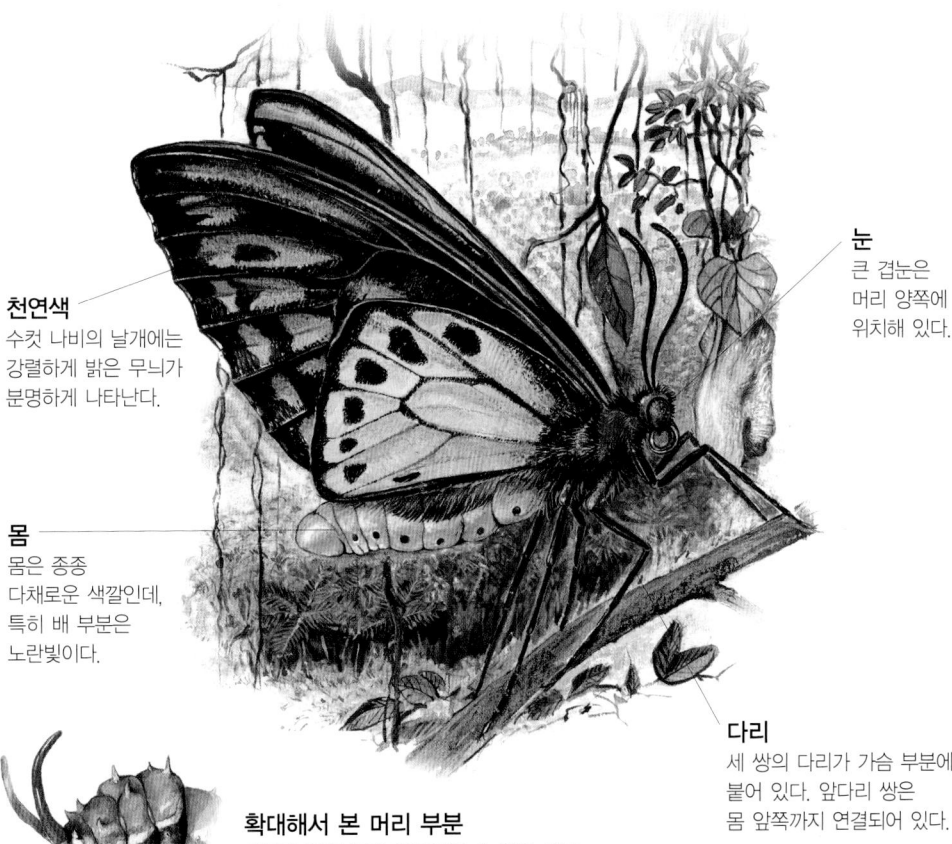

천연색
수컷 나비의 날개에는
강렬하게 밝은 무늬가
분명하게 나타난다.

눈
큰 겹눈은
머리 양쪽에
위치해 있다.

몸
몸은 종종
다채로운 색깔인데,
특히 배 부분은
노란빛이다.

다리
세 쌍의 다리가 가슴 부분에
붙어 있다. 앞다리 쌍은
몸 앞쪽까지 연결되어 있다.

확대해서 본 머리 부분
애벌레 입의 힘은 얕잡아볼 수 없이 세며,
머리에는 빨간색 더듬이와
방어용 보호털이 있다.

위협적인 거래
퀸 알렉산드라 버드윙은 수집가들을 위해 사냥되었었다.
이 거래는 퀸 알렉산드라 버드윙의 생존을 위협했으나,
현재는 나비 농장에서 길러지고 있다. 이를 통해
퀸 알렉산드라 버드윙은 미래를 보장 받고,
지역 고용에도 도움을 주고 있다.

산호랑나비
Western Tiger Swallowtail Butterfly

생태 정보
길이: 날개폭은 약 10cm
성적 성숙: 번데기 탈피 후
알: 암컷은 매번 최대 100개
성장 기간: 부화는 약 4일
생활 주기는 지역에 따라
달라진다.
서식지: 삼림 지대,
고도가 높은 지역
먹이: 애벌레는 나뭇잎과
관목 잎사귀를 먹는다.
나비는 다양한 꽃에서
꿀을 빨아 먹는다.
수명: 성체 나비는 4~6주

북아메리카에서 가장 큰 나비 중 하나인 이 종은 북아메리카의
서부 지역에서 가장 흔하게 볼 수 있는 나비이기도 하다.

산호랑나비는 2월과 7월 사이에 볼 수 있는데,
지역에 따라 다르다. 애벌레는 잎사귀에서 자라며,
몸을 둥글게 말아 숨어 있다. 머리 뒤에 냄새뿔이란
기관에서 악취를 내뿜어 포식자를 저지한다.
북쪽 지역에서는 한 해 동안 한 세대가 자라지만,
남쪽 지역에서는 세 세대까지 자랄 수 있다.

세계 어느 곳에?
브리티시 컬럼비아와 미국 노스 다코타
주에서부터 남쪽으로는 서쪽의 바하
캘리포니아와 동쪽의 멕시코에 분포한다.

얼마나 클까?

날개
날개 뒤 끝에
돌출된 부분은
제비의 꼬리 깃털과
닮았다.

애벌레
애벌레는 주로 초록색에
빨간색 반점이 있으며,
이것은 그들의 존재를
숨기는 데 도움이 된다.

머리
머리는 연한 노란색으로,
뒤로 가슴 부분까지 이어져 있다.

알
알은 버드나무와
서양물푸레나무,
산벚나무, 사시나무,
미루나무 같은
먹이 식물의 나뭇잎
아랫부분에 각각
따로 낳는다.

애벌레는 번데기가 되기 전에
탈피를 5번 한다.

아폴로 모시나비
Apollo Butterfly

관목과 산 위 초원에 사는 아폴로 모시나비 수는 최근 어떤 분포 지역들에서 급격하게 줄어들고 있는데, 그 이유가 분명치 않다.

아폴로 모시나비의 무늬와 색깔은 이들의 광범위한 분포범위에 걸쳐 다양하며, 각각의 종들은 상당히 고립되어 있다. 스칸디나비아 일부 지역에서 아폴로 모시나비의 수가 줄어드는 것은 산성비 때문이라고 여겨졌으나, 연구 결과 그럴 확률이 낮다고 밝혀졌다. 어떤 질병이 있을 수도 있고, 애벌레의 먹이 원천인 꿩의 비름과 연관이 있을 가능성도 있다.

세계 어느 곳에?
스칸디나비아에서부터 알프스 산맥을 거쳐
유럽 남부까지 유럽 전역에 흩어져 있다.
스페인에서 발칸 지역과 그리스까지 분포
또한, 이탈리아에서 시칠리아에 걸쳐 발견

얼마나 클까?

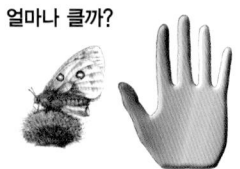

먹이 식물
아폴로 모시나비는
먹이로 엉겅퀴를 가장
즐겨 찾는데, 꿀이
풍부하게 나오기
때문이다.

무늬
이 반점들은
의안 또는 홑눈이라
불리며, 포식자를
혼란스럽게 한다.

복시
아폴로 모시나비에게는 두 번째 쌍의 홑눈이
날개의 멀리 앞쪽에 있지만, 이 홑눈이
항상 그렇게 분명한 것은 아니다.

점무늬는 눈처럼 보이며,
날개를 접었을 때도 그렇게 보인다.

해골박각시

Death's Head Hawkmoth

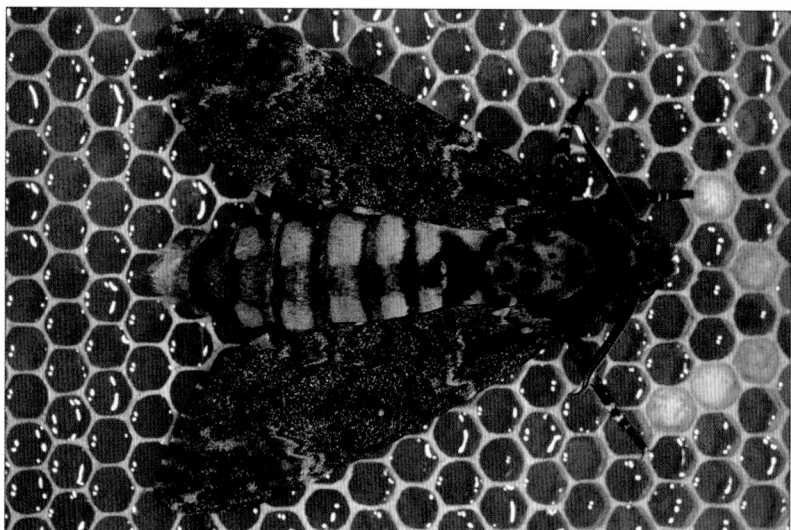

생태 정보

길이: 날개폭은 최대 12cm

성적 성숙: 번데기 탈피 후

알: 먹이 식물의 나뭇잎 아랫부분에 각각 따로 낳는다.

성장 기간: 일 년 내내 알을 낳는다. 유충은 비교적 움직임이 없지만, 아프게 물 수 있다.

서식지: 건조하고 햇빛이 잘 드는 탁 트인 시골

먹이: 애벌레는 감자와 같은 가지과 식물을 먹는다. 나방은 익은 과일즙과 벌꿀을 먹는다.

수명: 나방은 2~3주

해골박각시는 두려움의 대상인데, 해골 모양의 상징뿐만 아니라 위협적인 쉿소리를 내기 때문이다.

해골박각시는 벌이 눈치 채지 못하게 벌집으로 접근하는 놀라운 능력을 가지고 있다. 실제로 벌의 냄새로 인식할 수 있는 냄새를 풍기며, 벌집 근처에서는 벌과 유사한 방식으로 움직인다. 위협을 받게 되면, 주둥이로 공기를 밀어내어 끽 하는 소리를 내고 배에 있는 특별한 분비선에서 불쾌한 냄새를 배출한다. 해골박각시는 유럽에서 여름 동안 번식하며, 종종 북쪽으로 스칸디나비아까지 이동한다.

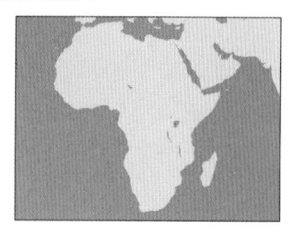

세계 어느 곳에?

아프리카의 열대 지역에 주로 나타나며, 북쪽으로 지중해까지 퍼져 있다. 종종 유럽 중부와 북부 일부로 여름 동안 이동하여 발견되기도 한다.

얼마나 클까?

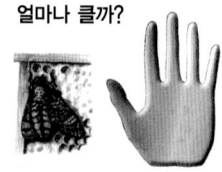

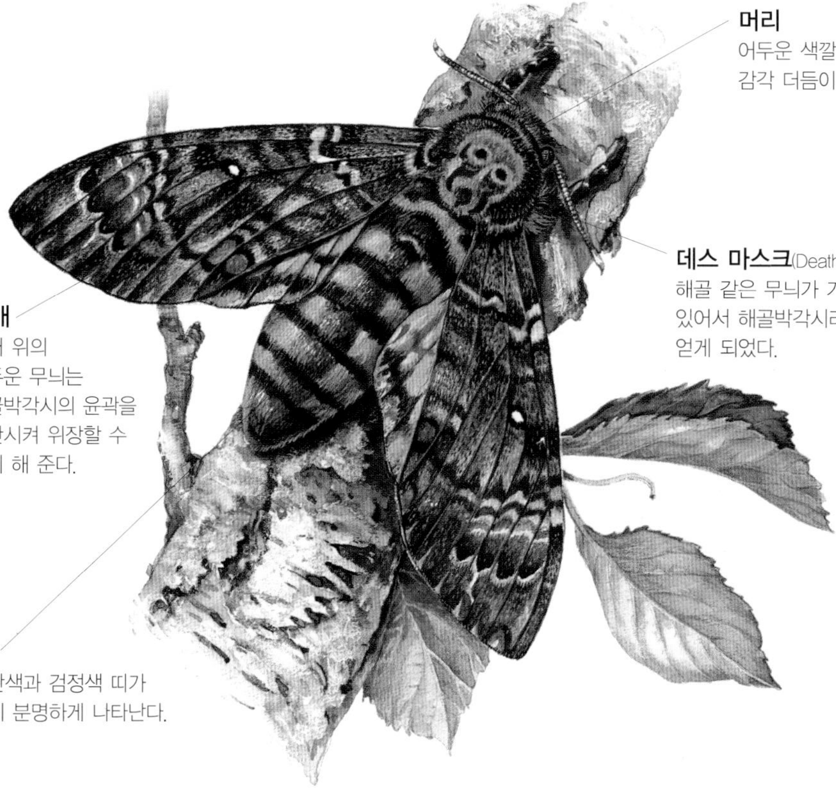

머리
어두운 색깔이며, 짧은
감각 더듬이가 있다.

데스 마스크(Death mask)
해골 같은 무늬가 가슴 부분에
있어서 해골박각시라는 이름을
얻게 되었다.

날개
날개 위의
어두운 무늬는
해골박각시의 윤곽을
분산시켜 위장할 수
있게 해 준다.

배
노란색과 검정색 띠가
배에 분명하게 나타난다.

휴식을 취할 때
해골박각시는 낮 동안 휴식을 취할 때
날개를 몸 옆으로 접어 둔다.

먹이 훔치기
해골박각시는 밤에 날아다니며,
어둠을 틈타 벌집에 침입해서
그곳에 있는 벌꿀을 먹는다.

황제나방
Emperor Moth

생태 정보
길이: 날개폭은 최대 6cm
성적 성숙: 번데기 탈피 후
알: 애벌레의 먹이 식물
주변에 무리로 낳는다.
성장 기간: 번데기로 겨울을
보낸다. 나방은 봄에 나온다.
생명 주기는 대략 10개월
서식지: 탁 트인 시골, 특히
황야 지역
먹이: 애벌레는 헤더, 야생
자두나무, 검은 딸기나무를
먹는다. 나방은 먹지 않는다.
수명: 나방은 2주

많은 나방들과는 달리, 수컷 황제나방의 색깔은 매우 밝아 나비와
더 닮았다. 이것은 낮에 날아다니는 생활 양식과도 관련이 있다.

황제나방은 눈 모양 반점 덕분에 공격받지 않으면서
짝짓기 상대를 찾아 하루 종일 날아다니는데, 해질녘에
더욱 활발해진다. 암컷은 색깔이 훨씬 차분하며,
주로 회색이다. 황제나방이 나비가 아니라 나방으로
구분되는 주요 특징 중 하나는 더듬이 모양이다.
끝 부분이 부풀어오른 곤봉 같지 않고, 대신 톱니처럼
째져 있다. 이런 더듬이로 수컷은 암컷이 풍기는
화학적 유인 물질의 극미한 자취까지도 찾아낼 수 있다.

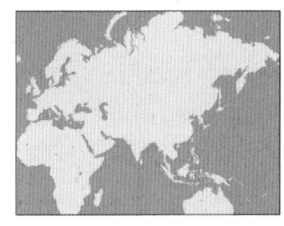

세계 어느 곳에?
아일랜드에서 시베리아까지, 스칸디나비아와
러시아 북부에서부터 아래로 스페인 북부 지
알프스 산맥, 슬로바키아, 카프카스 산맥에
이르기까지 여러 지역에서 걸쳐 널리 나타난

얼마나 클까?

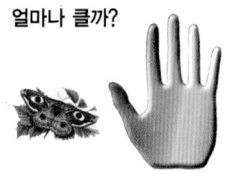

눈 모양 반점
눈 모양 반점은
날개를 얼굴처럼
보이게 한다.

날개
수컷 황제나방에게만
주황색의 뒷날개가 있으며,
눈 모양 반점으로 장식되어 있다.

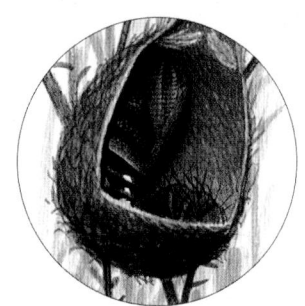

번데기
황제나방의 성장은
번데기 껍질 안에서 일어난다.

갓 부화한 유충
이 단계의 애벌레는
색깔이 어둡고 상대적으로
눈에 띄지 않는다.

성장
번데기 전에 성숙한 애벌레는 초록색으로,
검정색 고리 무늬가 있고 몸 전체는 털로
덮여 있다. 먹이로 헤더를 가장 즐겨 먹는다.

사마귀
Praying Mantis

생태 정보
길이: 5~7.5cm,
암컷이 더 크다.
성 성숙: 늦여름(봄에 부화한 후)
알: 암컷은 알주머니 안에
약 300개의 알을 낳는다.
발달 기간: 알주머니는
나무의 잔가지에서 겨울을
나고 봄에 부화한다.
약충은 종종 산들바람에
의해 흩어져 동족끼리
잡아먹는 것을 피한다.
서식지: 탁 트인 전원지대
먹이: 식충성. 파리, 메뚜기,
귀뚜라미, 나비, 나방
수명: 최대 1년

사마귀(Praying Mantis)란 이름을 얻은 것은 이들이 마치
기도하듯이 앞다리를 함께 모아 쥐고 쉬는 방식 때문이다.

이 곤충들의 섬뜩한 평판은 짝짓기 후 수컷이 암컷
짝(수컷보다 더 크다)에게 목이 잘려 먹히는 방식으로부터
나온다. 사마귀는 예리한 시력에 의지하여 잠재
먹잇감을 감지하며 이 목적을 위해 삼각형 모양의
머리를 180도 각도로 돌릴 수 있다.
불행한 무척추동물이 가까이 오면 사마귀는
굉장한 속도로 공격하여 목표물이 도망갈 기회를
거의 주지 않는다.

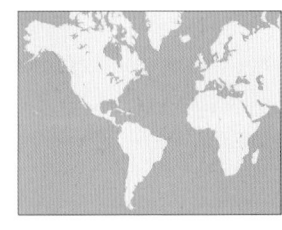

세계 어느 곳에?
유럽의 남부 지역에서 나타나나 1899년
북아메리카의 식물들에도 유입되었다. 이저
아메리카 북동부에서 태평양 연안 북서부에
분포한다.

얼마나 클까?

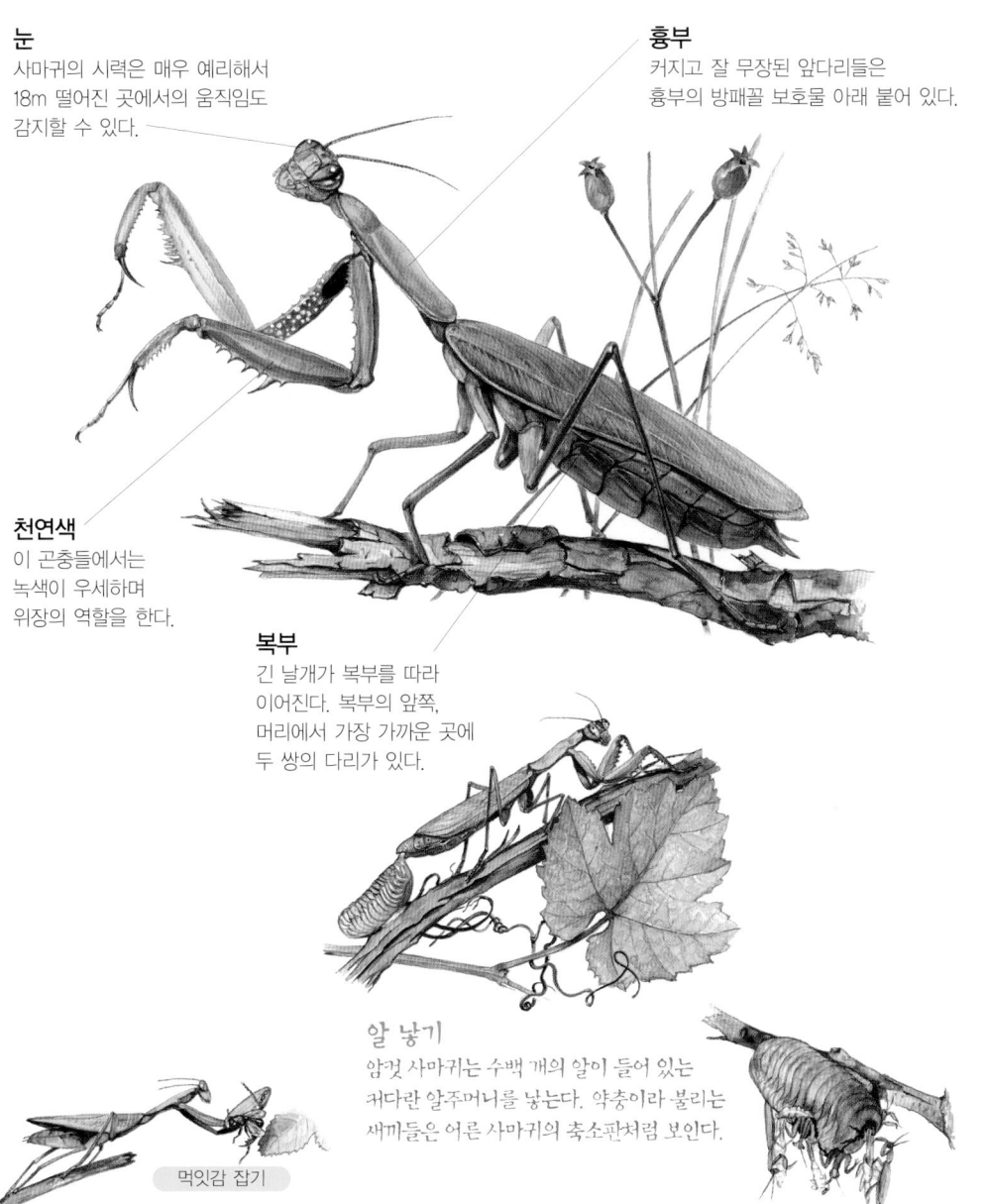

눈
사마귀의 시력은 매우 예리해서
18m 떨어진 곳에서의 움직임도
감지할 수 있다.

흉부
커지고 잘 무장된 앞다리들은
흉부의 방패꼴 보호물 아래 붙어 있다.

천연색
이 곤충들에서는
녹색이 우세하며
위장의 역할을 한다.

복부
긴 날개가 복부를 따라
이어진다. 복부의 앞쪽,
머리에서 가장 가까운 곳에
두 쌍의 다리가 있다.

알 낳기
암컷 사마귀는 수백 개의 알이 들어 있는
커다란 알주머니를 낳는다. 약충이라 불리는
새끼들은 어른 사마귀의 축소판처럼 보인다.

먹잇감 잡기

개미귀신
Common Antlion

생태 정보
길이: 날개폭은 2~15cm
성 성숙: 번데기 탈피 후
알: 약 20개,
모래에 따로따로 낳는다.
발달 기간: 유충은 2~3년
후에 번데기가 되고 성충은
약 1개월 후에 나온다.
서식지: 매우 건조하고
탁 트인 전원을 좋아한다.
먹이: 유충은 식충성으로
보통 개미를 먹고 살고,
성충들은 일반적으로 꽃의
꿀을 먹고 산다.
수명: 성충은 평균 20~25일
(최대 45일까지 살 수도 있다.)

이 곤충의 이상한 이름은 잘못된 번역에서 유래한다. 이들은 원래 헝가리어로 개미 매복자라고 불렸는데 이것은 유충들이 어떻게 먹잇감을 함정에 빠뜨리는지를 나타낸다.

개미귀신 유충은 함정을 파기 위해 다른 곳을 찾을 때, 모래에 낙서같이 보이는 독특한 흔적을 남긴다. 그래서 이들은 북아메리카에서는 '낙서벌레(doodlebug)'로 알려져 있다. 함정은 유충이 뒤쪽으로 기어가면서 배로 모래를 쌓아 올리고 제자리에서 빙빙 돌면서 만들어진다. 함정의 직경은 약 7.5cm, 깊이는 5cm가 되고 양쪽 가장자리의 기울기는 쉽게 붕괴될 정도이다.

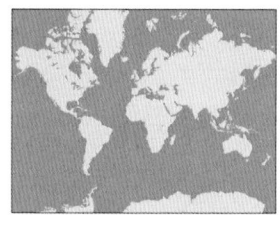

세계 어느 곳에?
65종의 개미귀신은 전 세계적인 분포 범위를 가지고 있다. 이 특별한 종은 북아메리카와 유럽 본토에 살고 있지만 영국 제도에는 없다.

얼마나 클까?

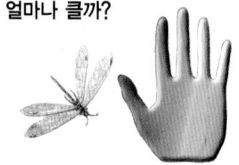

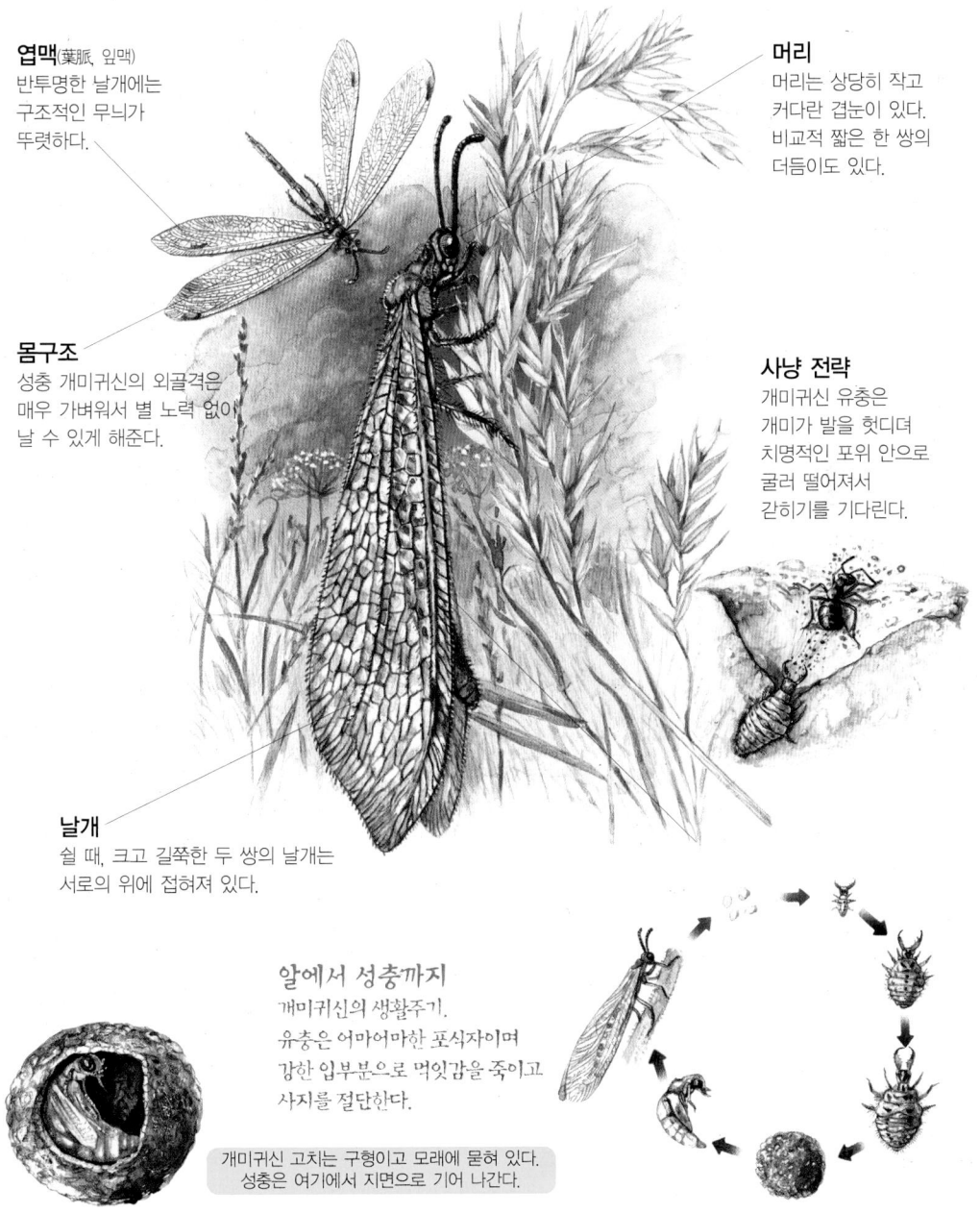

엽맥(葉脈, 잎맥)
반투명한 날개에는
구조적인 무늬가
뚜렷하다.

머리
머리는 상당히 작고
커다란 겹눈이 있다.
비교적 짧은 한 쌍의
더듬이도 있다.

몸구조
성충 개미귀신의 외골격은
매우 가벼워서 별 노력 없이
날 수 있게 해준다.

사냥 전략
개미귀신 유충은
개미가 발을 헛디뎌
치명적인 포위 안으로
굴러 떨어져서
갇히기를 기다린다.

날개
쉴 때, 크고 길쭉한 두 쌍의 날개는
서로의 위에 접혀져 있다.

알에서 성충까지
개미귀신의 생활주기.
유충은 어마어마한 포식자이며
강한 입부분으로 먹잇감을 죽이고
사지를 절단한다.

개미귀신 고치는 구형이고 모래에 묻혀 있다.
성충은 여기에서 지면으로 기어 나간다.

황제잠자리
Emperor Dragonfly

생태 정보
길이: 약 7.8cm,
날개폭은 최대 10.5cm
성 성숙: 유충 단계 이후
알: 최대 500개
발달 기간: 크림색의 알은
3주 후 부화하고, 약충은
성충이 되기 전 물속에서
2년을 보낸다.
서식지: 느리게 흐르는 강,
운하, 큰 연못과 비슷한
류의 수면
먹이: 약충은 치어와 올챙이를
사냥하고, 성충은 파리와
나비를 잡아먹는다.
수명: 잠자리는 약 4주.

황제잠자리는 매처럼 덮치는 잠자리들 중 가장 큰 잠자리이다.
비행 중에 먹잇감을 잡고, 때로는 먹잇감을 잡기 위해 하늘로
솟구쳐 오르기 때문에 그렇게 불린다.

텃세가 강한 이 잠자리들은 매우 빨리 날지만
외모 때문에 쉽게 눈에 띈다. 황제잠자리는 배를 약간
아래로 구부린 자세로 날며 각 쌍의 날개는 독립적으로
움직일 수 있다. 황제잠자리는 간간이 물을 둘러싸고
있는 초목에 내려앉아 막 잡은 먹잇감을 먹는다.
암컷들은 수초가 무성한 곳에 알을 낳는다.

세계 어느 곳에?
웨일스와 영국의 남부 지역들로부터
유럽을 지나 중동을 거쳐 동쪽으로
인도 북서쪽까지 확장된다. 또한
아프리카의 일부 지역들에서도 나타난다.

얼마나 클까?

눈
눈은 크고
눈에 잘 띄며
녹색이다.

날개
두 쌍의 날개가 있으며,
날개에는 검정색 시맥이
있다. 날개는 나이가 듦에
따라 약간 노란 색조를 띤다.

천연색
수컷들은 녹색보다는
파란색 배를 가지고
있으며 검정색 줄무늬가
중앙에 있다.

교미기
꼬리 끝에 있는 이 돌기들은
잠자리가 짝짓기 할 때
사용된다.

짝짓기
이 짧은 조우는 잠자리들이 보통
식물의 줄기에서 쉬고 있을 때 일어난다.
암컷이 수컷 아래서 고리 모양으로
몸을 감는다.

약충
약충으로 알려진 유충은 천성적으로
매우 공격적이고 색깔은 갈색이다.
이들 또한 매우 큰 눈을 가졌다.

131

넓은몸사냥꾼잠자리
Broad-Bodied Chaser

생태 정보
길이: 7.8cm, 날개폭 7cm
성 성숙: 유충 단계 이후
알: 하나씩 낳는다.
발달 기간: 알은 2~3주 후
부화하고 갈색 약충은
물속에서 1~3년을 보낸다.
그리고 나서 갈대 위로
기어 나온다. 유충의 껍질이
갈라지고 성충이 나온다.
서식지: 호수와 연못
먹이: 약충은 작은 수생
먹잇감을 사냥하고, 성충은
날개가 있는 무척추동물들을
잡아먹는다.
수명: 최대 4주

이 종은 종종 정원의 연못에 이끌린다. 이들의 다부진 외모와 말벌과 비슷한 비행 패턴은 말벌과 혼동되기도 한다.

분류군으로써의 넓은몸사냥꾼잠자리는 날개 아래에 있는 까만 부분으로 구별될 수 있다. 5월 중순부터 8월 초까지 볼 수 있으며 수컷들은 서로에게 특히 공격적이어서 자신의 세력권 안에 들어온 경쟁자들을 쫓아낸다. 짝짓기 후 암컷은 수면에 내려앉아 배를 물속에 담그고 수초 사이에 알을 낳는다. 그동안 수컷은 근처에서 맴돌면서 가능한 위험을 암컷에게 경고한다.

세계 어느 곳에?
웨일즈와 영국 남부에서 발견되며 유럽을 지나 북쪽으로 스칸디나비아까지, 남쪽으로 이탈리아, 그리고 동쪽으로 터키까지 확장되고 고도 2000m 아래서 산다.

얼마나 클까?

다리
다리는 분할되어 있고
비교적 얇으며 잠자리가
초목에 매달리게 해준다.

외모
다부지고 짧은 몸 형태는
식별하기 쉽게 해준다.

천연색
수컷은 파란색 배를 가졌으며
배의 가장자리는 노랗다.
암컷은 노란색 줄무늬가 있는
갈색 배를 가지고 있다.

날개 무늬
검정색의 짧은 줄무늬가
날개의 가장 끝, 뾰족한
끝 근처에 있다.

짝짓기
짝짓기는 비행 중에 일어나며
잠자리들은 짧은 순간 동안만
함께 합쳐져 있다.

치명적인 잡기
이 잠자리들은 강한 발톱으로
무장되어 있어 비행 중에
먹잇감을 잡을 수 있고
도망가지 못하게 할 수 있다.

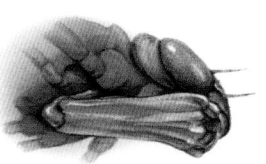

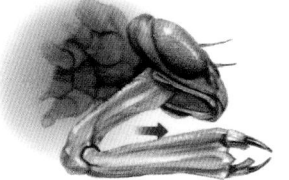

필드귀뚜라미
Field Cricket

생태 정보
길이: 1.7~2.3cm,
수컷이 약간 더 크다.
성 성숙: 새끼 귀뚜라미들은
약충의 형태로 굴에서 겨울을
나고 이듬해에 성숙한다.
알: 매일 약 5개,
총 70~100개 정도
발달 기간: 성충은 5월에
알을 까기 시작하고, 약충은
7월과 8월에 부화한다.
서식지: 물이 잘 빠지는
토양이 있고 건조하며
햇살이 내리쬐는 곳
먹이: 주로 풀을 먹으나
썩은 고기도 먹는다.
수명: 최대 1년

이 필드귀뚜라미들은 최근 몇 년 동안 그 수가 극적으로 감소했고 이제는 멸종 위기에 있는데 특히 영국에서 그렇다. 이들의 멸종을 막기 위한 작업이 진행 중이다.

필드귀뚜라미는 여름 동안에만 활동적이며, 풀과 짧은 초목, 햇살이 내리쬐는 곳들을 좋아한다. 날개가 있긴 하지만 날지 못한다. 그래서 서식지의 변화에 취약하다. 런던 동물원은 이제 영국에서 멸종위기에 처한 이 필드귀뚜라미에 대한 방출 계획을 세웠으며 처음 인공 사육한 필드귀뚜라미들을 1992년에 웨스트서식스 주 지역에 풀어주었다. 다양한 보호지역에서 수천 마리의 다른 필드귀뚜라미들도 뒤이어 풀려났다.

세계 어느 곳에?
유럽의 남부와 중부에서 발견되며 독일과 네덜란드처럼 먼 북쪽에서도 발견된다. 영국에서 유일하게 생존한 개체가 웨스트서식스 주에 있다.

얼마나 클까?

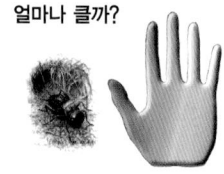

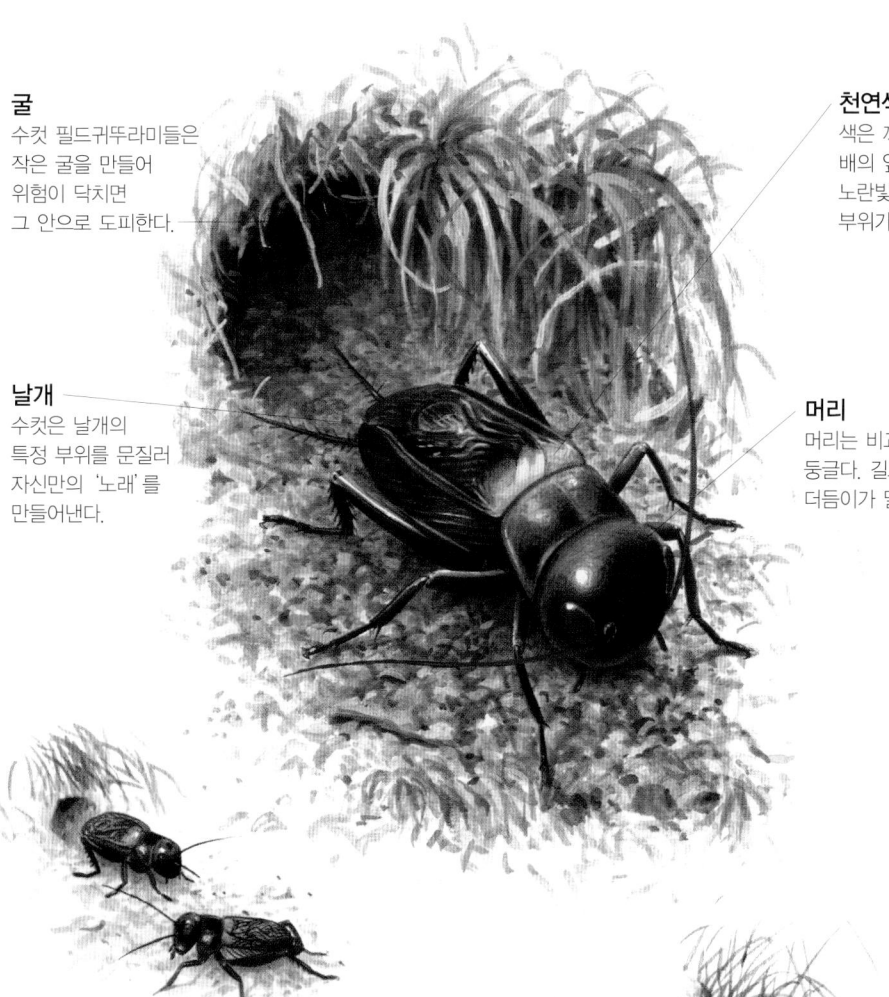

굴
수컷 필드귀뚜라미들은
작은 굴을 만들어
위험이 닥치면
그 안으로 도피한다.

천연색
색은 까맣고
배의 앞부분에
노란빛이 도는
부위가 있다.

날개
수컷은 날개의
특정 부위를 문질러
자신만의 '노래'를
만들어낸다.

머리
머리는 비교적 크고
둥글다. 길고 가는
더듬이가 달려 있다.

짝을 유인하기
수컷 귀뚜라미는 굴 밖에서
하루 종일 거의 끊임없이
울음소리를 내며
짝을 유인한다.

위험한 생활
도마뱀 같은 파충류들이
이 귀뚜라미들을 먹이로 삼는다.
다양한 새들과 양서류들도
마찬가지다.

푸른날개메뚜기
Blue-winged Grasshopper

생태 정보
길이: 암컷은 2.2~2.8cm,
수컷은 1.5~2.1cm
성 성숙: 메뚜기들은 알
상태로 겨울을 나고 이듬해에
약충 상태로 나온다.
알: 총 400개 정도,
거품 같은 물질로 낳는다.
발달 기간: 2년 주기
서식지: 모래가 많은 전원
지대의 건조하고 비교적
탁 트인 지역
먹이: 차 같은 농작물을
포함하여 풀, 허브, 기타
식물들을 먹는다.
수명: 약 6개월

이 메뚜기들의 파랑 색상은 비행 중에만 나타난다. 땅에서는
땅 색깔과 비슷하게 잘 위장되어 있어 발견하기 어렵다.

다른 메뚜기들처럼 암컷 푸른날개메뚜기도 짝짓기 후
바로 알을 낳는다. 부화했을 때 새끼들은 어른의
축소 모형처럼 생겼다. 영(절지동물 유충의 탈피와 탈피 사이의
기간)이라고 정의되는 일련의 탈피 과정을 거친 후
많은 무척추동물들과 대조적으로 번데기 단계 없이
어른이 된다. 푸른날개메뚜기는 몸 색깔을 흙 색깔과
조화시킬 수 있어 위장이 가능하다. 이 능력은 두 번째
영 단계에서 습득된다.

세계 어느 곳에?
채널 제도에서부터 유럽 대부분 지역을 거쳐
아시아의 서부 지역들까지 확장되며 동쪽으로
카프카스 산맥까지 이른다. 어떤 지역에서는
위기에 있고 스위스 일부 지역에는 재도입되

얼마나 클까?

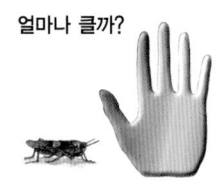

날기
분리된 두 쌍의 날개가 있다.
앞날개는 곧고 좁은 반면
뒷날개는 더 넓다.

턱
힘이 센 입 부분이
머리의 아랫면에 있다.

배
배는 분할되어 있고
원통형 모양이다.

밀어내기
길고 힘센 뒷다리를 사용하여
점프하거나 공중으로 도약한다.

알 낳기
암컷 메뚜기는 땅속의 구멍에 알을
묻는다. 그러면 새끼 약충들은
땅을 파헤치고 나온다.

다채로운 비행
파란 색상은 배에 인접한 두 번째 쌍의
날개 아래 부분에서 또렷하다.

중베짱이
Great Green Bush Cricket

생태 정보
길이: 최대 5cm
성 성숙: 알은 낳은 후 그 해
안에 부화하거나 그 다음해에
부화한다. 약충은 여섯 번의
영(齡) 단계를 거친다.
알: 수백 개
발달 기간: 최대 3년(약충이
언제 부화하느냐에 따라 다르다.)
서식지: 목초지, 탁 트인 전원
지대, 삼림지역의 가장자리
먹이: 주로 포식성으로 애벌레,
나방, 파리를 잡아먹지만
초목도 먹는다.
수명: 6개월

중베짱이는 영국 제도에서 발견되는 가장 큰 메뚜기목의 곤충이며 의심할 여지없이 가장 시끄러운 곤충이다. 그래서 이 중베짱이가 어디에서 발생하든지 상대적으로 눈에 잘 띈다.

수컷의 독특한 울음소리는 입으로 내는 것이 아니라 뻣뻣한 앞날개를 문질러서 내는 것이다. 그 소리는 50m 떨어진 곳에서도 들을 수 있어 수컷들은 암컷을 유인하기 위해 서로 경쟁한다. 이들은 낮 동안에 노래를 하지만 황혼부터 저녁까지 계속 더 시끄러워지는 경향이 있다. 암컷들 또한 짝짓기 시기 동안 비슷한 소리로 의사소통 한다. 암컷들은 아래로 구부러진 산란관으로 구별할 수 있다.

세계 어느 곳에?
유럽 대부분의 지역에 걸쳐 발생하고 터키를
거쳐 아시아까지 확장되며 시베리아까지
건너간다. 북아프리카에서도 발견된다.
영국에서는 보통 해안 지역들에서 발견된다.

얼마나 클까?

발
다리 끝에 있는 갈고리는
중베짱이가 풀가닥에
매달리는 것을 돕는다.

흉부
넓은 보호 방패가
흉부를 덮고 있으며
빨간 줄무늬가
중앙을 따라 내려온다.

가시
중베짱이의 다리
아랫부분에 있는
날카로운 돌기들은
스스로를 보호하는
도구로 사용된다.

천연색
매력적인 녹색을 띤
노란색이 지배적이며
희미한 붉은 반점이
있다.

비용이 많이 드는 식욕
섭식 시 중베짱이는 나뭇잎 가장자리
주변부터 안쪽으로 야금야금 먹어가며
농작물에 심각한 피해를 끼친다.

비행 중
더 넓고 투명한 뒷날개들은
보통 앞날개 밑에 숨겨진다.

알을 낳고 있는 암컷

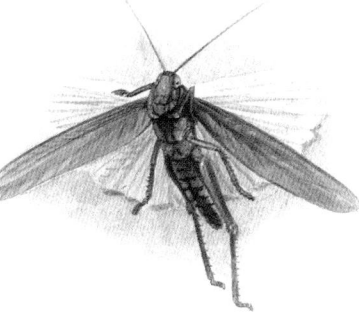

가랑잎벌레
Leaf Insect

생태 정보
길이:6~10㎝
성 성숙: 약충이 완전히
자랐을 때
알의 개수: 40~200개
매일 적은 양의 알을 낳는다.
부화 기간: 100~114일
알은 곰팡균의 침입에 매우
취약하다.
서식지: 나무와 관목이 있는
열대 지역
먹이: 살고 있는 곳의 식물을
먹고 사는데, 잎의 가장자리
주변을 먹는다.
수명: 약 6개월

이러한 종류의 대벌레들은 나뭇가지보다는 잎사귀와 닮도록
진화되었는데 이것은 대벌레의 특성이다. 이들은 종종
걸어 다니는 잎사귀로 묘사된다. 약 30종이 알려져 있다.

약 4700만 년 전의 것으로 추정되는 주목할 만한
가랑잎벌레의 화석이 독일에서 발견되었는데, 이것은
그때 이후로 이 적은 수의 개체들이 어떻게 변했는지를
보여준다. 가랑잎벌레는 불완전한 변태의 과정을
겪는데 약충이 알에서 나온다. 이후 성체가 될 때까지
일련의 탈피를 거치는데 많은 다른 곤충들과는 달리
생활주기에 번데기 단계가 없다.
어린 가랑잎벌레는 부화될 때 붉은색이다.

세계 어느 곳에?
대부분의 남아시아에 광범위하게 분포하고
동남아시아부터 인도네시아의 섬들과
뉴기니를 거쳐 호주 일부 지역들에서
발견된다.

얼마나 클까?

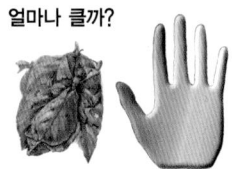

눈
눈은 눈에 잘 띄지 않아
잎사귀를 닮은 전체 외모에
손상을 주지
않는다.

머리
상대적으로 작으며
잎사귀 색이다.
쌍으로 된 짧은
더듬이가 있다.

배
배는 넓고
잎사귀에 가장
유사하며 심지어는
잎맥을 가지고
있기도 하다.

다리
세 쌍의 다리가
모두 납작하고
배경과 조화를 이루어
눈에 잘 띄지 않으며
끝부분에 갈고리를
가지고 있다.

공격을 받을 때
개미와 같은 다른 무척추동물에게
공격을 당할 수 있다.

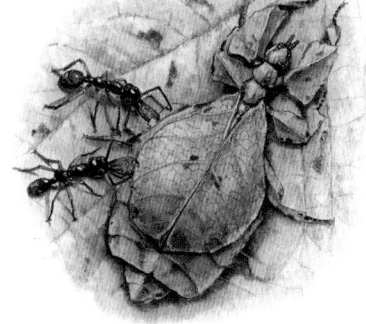

식용달팽이
Edible Snail

생태 정보
길이: 2.5cm
달팽이 껍데기 지름은 5cm
성 성숙: 2~4년
알 수: 40~60개(알 하나를
낳는 데 길게는 30분씩 걸린다.)
발달 기간: 작은 달팽이
새끼들은 약 25일 뒤에
부화되고, 길게는 10일 동안
알껍데기를 먹으며 땅 밑에
있는다.
서식지: 시골의 석회암 지대
먹이: 식물을 먹고, 습기 많은
어린 가지를 좋아한다.
수명: 5~10년

이름이 나타내듯이, 미식가들이 이 종을 선호하는데,
프랑스에서는 인기있는 식용으로 판매되거나 기르기도 한다.

이렇게 암수 한몸인 달팽이들이 짝짓기를 위해 만날 때
놀라운 결투가 벌어진다. 그들의 알을 수정시키기 위해
각각 정액을 이동시키고, 또한 '사랑 침'을 배출한다.
이것에는 다른 달팽이의 피부를 관통할 수 있는 작살
같은 끝이 있다. 사랑 침을 일찍 두면 침의 호르몬은
살아남은 수컷의 정액을 찾아간다. 침들은 실제로
발사되진 않지만, 그들의 짝을 찔러 이동된다.

세계 어느 곳에?
동남부와 중부 유럽의 석회암 지대에
제한되어 있다. 로마인들이 영국인들에게
소개했는데, 지금은 영국 남부의
백악질 고지대에 산다.

얼마나 클까?

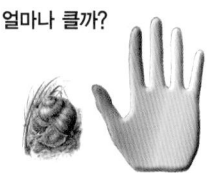

껍질
약간의 붉은 색조를 띠고,
달팽이 주변에서 섭취된
칼슘으로 이루어져 있다.

발
달팽이 몸의
아랫부분에 있고,
점액의 흔적을 남기며
길에 윤활유를
바르면서 이동한다.

눈
더듬이의 끝 부분에
위치해 있다.
이 감각적인 돌기들은
달팽이의 몸으로
들어갈 수 있다.

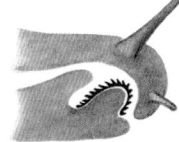

먹기
이빨은 없지만 강력한 구기로
식물을 갈 수 있다.

알 낳기
달팽이는 상대적으로 크고 흰 알을
습한 지역에 낳고 그것을 땅 속에 묻는다.

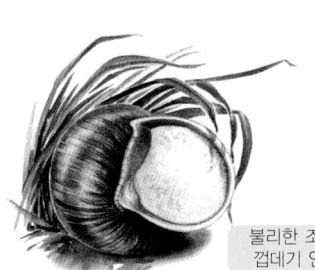

불리한 조건, 특히 건조할 때 달팽이는 스스로
껍데기 안으로 들어가고 석회질 막을 만든다.

민달팽이
Slug

생태 정보
길이: 최대 30cm
성 성숙: 2달~2년
알 수: 30~75,
민달팽이들은 암수 한몸이다.
발달 기간: 약 14일,
온도와 습도에 따라 다르다.
서식지: 숨을 수 있고
초목이 있는 축축한 지역
먹이: 식물성을 먹고 종종
다육 식물의 순, 썩은 고기와
똥도 먹는다.
수명: 보통 3~5년,
온화한 지역에서는 다 자란
달팽이들이 매겨울마다 죽는다.

민달팽이들은 껍질이 없는 복족류 연체동물이고, 반면에 반-민달팽이(semi-slug)는 껍질을 가졌지만 너무 작아서 안으로 들어가지는 못한다.

민달팽이들의 구기는 치설이라고 알려진 줄처럼 생긴 구조를 가지고 있어 먹이를 쉽게 얻을 수 있다. 이들은 탈수에 민감하고, 맑은 날씨가 지속될 때는 축축한 지역으로 몸을 숨긴다. 날씨가 차가워지고, 땅에 이슬이 있을 때인 어두워진 이후에 밖으로 나오는 경향이 있다. 새끼 민달팽이들은 부화 시에 어른 민달팽이의 축소형으로 생겼고, 때때로 알에서 겨울을 나고 봄에 부화하기도 한다.

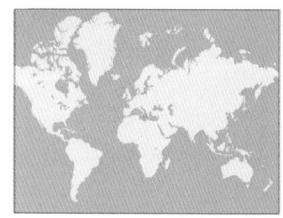

세계 어느 곳에?
전 세계에 넓게 분포하며, 특히 온화한 지역과 열대 지역들을 포함한다. 주위 습도가 높아야 한다.

얼마나 클까?

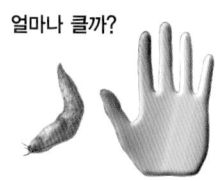

띠 모양의 발
몸의 양 옆을 따라 이어지는
테두리이다.

외피
호흡구를 포함하는
상대적으로 부드러운 부분.

눈자루
이 긴 촉수들은 빛과 움직임을
감지하며 만약 위험 요소를
발견했을 때는 집어넣을 수 있다.

감각 촉수
땅에 가깝게 있는 이 짧은 촉수는
감각기관이며 짝짓기 준비가 된
민달팽이가 방출된 페로몬을
알아본다.

균류
많은 민달팽이들은 다양한 형태의 버섯들을 먹는데,
그런 균류의 종자를 새로운 지역으로 운반하는
역할을 한다.

위험에 대처하기
위험에 빠졌을 때,
민달팽이들은 몸을 수축시키고,
촉수들을 끌어당긴다. 몸의 점액은
이들을 잡기 어렵게 만든다.

지중해전갈(랑그독전갈)
Mediterranean Scorpion

생태 정보
길이: 6~8cm
성 성숙: 1~2년
알 수: 20~35개, 수컷의
정자 속 또는 정포에 의해
체내에서 수정된다.
발달 기간: 최대 8개월.
새끼는 암컷의 몸속에서
발달하는데 원시적인 형태의
태반의 연결을 통해 영양분이
공급된다.
서식지: 매우 건조한 시골
지역의 바위 밑에 숨어 있고
때로는 숲에서 발견된다.
먹이: 다른 무척추동물들
수명: 5~7년

지중해전갈은 비교적 따뜻한 지역에서 기원했지만 때때로
고도 1000m 이상의 겨울 설선 위에서 발견된다.

이 전갈의 독의 힘은 지역에 따라 다양하다.
북아프리카의 지중해전갈은 유럽의 지중해전갈들보다
인간에게 훨씬 더 위험하다. 수컷은 짝을 찾으면서
암컷보다 더 광범위하게 이동한다. 새로 태어난
전갈들은 출생 시 하얗고 처음에는 무력하다. 이들은
어미의 몸을 타고 이동하며 일주일 후에 털갈이를 하고
나면 어른 전갈을 닮게 된다. 새끼들은 집에서 떨어져
돌아다니기 시작하지만 여전히 어미가 먹여준다.

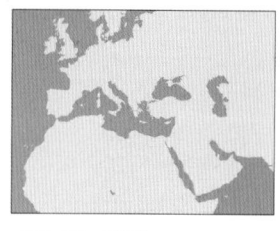

세계 어느 곳에?
유럽 남서부 전역, 프랑스, 스페인,
포르투갈에서 발생한다. 또한 지중해 맞은
북아프리카에서도 발견된다.

얼마나 클까?

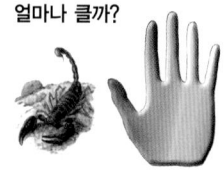

침

전갈의 침은 꼬리 끝에 위치해 있으며
집게발로 잡고 있는 먹잇감을
진압하기 위해 꼬리를 머리 위로
들어올려 앞쪽으로 가져온다.

복부

곤충들과 달리 전갈은
몸이 단지 두 개의 부분으로
되어 있다. 머리를 포함하는
두흉부와 복부가 그것이다.

다리 수염

이 큰 집게발은
먹잇감을 잡는데 이용된다.
이것은 강모(seta)라 불리는
감각털 같은 구조물로
덮여 있는데, 강모는
대기의 움직임을
감지한다.

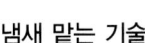

냄새 맡는 기술

전갈의 솜털 같은 빗살돌기인
이 구조물은 땅 위에 끌리고 특별한
화학적 감각의 세포로 덮여 있어서
먹잇감이나 다른 전갈들을 추적할 수 있다.

치명적인 투여량

전갈은 먹잇감의 크기에 맞는 양의 독을
주입하는 놀라운 능력을 가지고 있다.

목도리도마뱀
Frilled Lizard

생태 정보
무게: 567~708g
길이: 70~95㎝, 꼬리는
몸길이의 거의 두 배이다.
성 성숙: 2~2.5년
알 수: 8~23개, 어떤
암컷들은 계절마다 두 번
알을 낳는다.
부화 기간: 2~3개월,
새끼 무게가 3~5g 나간다.
먹이: 식충성. 나무에 있는
매미를 사냥하고 땅에 있는
개미를 잡아먹고, 더 작은
도마뱀도 먹는다.
수명: 12~15년

뚜렷이 구별되는 이 도마뱀은 아이콘의 위치를 확고히 해왔으며,
심지어 오스트레일리아의 2센트짜리 옛날동전에도 등장했다.
이들은 자연계의 허풍쟁이 중 하나이다.

이 도마뱀은 때때로 자전거도마뱀이라고 불린다.
왜냐하면 이들은 네 다리 모두로 달리기 시작하는데,
속도를 높일 때는 뒷다리로 전력질주하기 때문이다.
목도리도마뱀은 포식자가 몇 안 되기 때문에
주름장식이 방어적 목적으로만 사용되는 것이 아니라
구애 동작이나 체온조절을 도와 열이 발산되는 것을
돕는다. 주변 환경이 갓 부화한 도마뱀의 성별을
결정하는데 암컷은 더 높은 온도에서 발달된다.

세계 어느 곳에?
뉴기니의 남부와 오스트레일리아에 나타나
노던 테리토리에서 동쪽으로 퀸즐랜드 북부
분포하며 케이프요크 반도를 포함한다.
이들은 삼림 지역을 선호한다.

얼마나 클까?

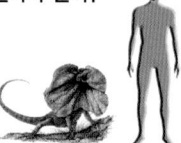

꼬리
꼬리는 길고
끝으로 갈수록
얇아진다.

뾰족뾰족한 혹
머리 뒤의 매우 독특한
이 부풀어오른 부위의 목적은
아마도 방어용일 것이다.

이빨
허세가 소용이 없으면,
목도리도마뱀은
날카로운 이빨로
아프게 물 수 있다.

뒷다리
뒷다리는 앞다리 보다
길고 이 파충류가 매우
빨리 뛸 수 있게 하며
기어오르는 것을 돕는다.

비밀로 해두다
정상적인 상황에서는
주름장식이 뒤로 접혀있다.

자신만만해 보이기
아래턱을 여는 것만으로도 볏을 펼치기 충분하다.
뒷다리로 일어섬으로써 도마뱀은 훨씬 더
위협적으로 보인다.

목도리도마뱀 앞발의 확대 모습,
날카로운 발톱이 보인다.

도깨비도마뱀
Thorny Devil

생태 정보
무게: 33~57g
수컷들이 더 작다.
길이: 최대 20cm
성 성숙: 약 3년 이후부터
성장이 끝나기 전
알의 개수 : 한 배당 3~10개,
부화 기간: 보통 13~18주.
온도에 민감하다.
먹이: 새끼는 자신들의
알껍질을 먹는다. 보통 개미를
먹고 사는데 한번 식사로
최대 1000마리를 먹는다.
수명: 20년

도깨비도마뱀은 줄지어 있는 날카로운 돌기들이 몸을 덮고 있어서
포식자들로부터 보호된다. 무서워 보이지만 공격적이지 않다.

도깨비도마뱀의 색깔은 주변 환경에 따라 다양하게
변화한다. 햇볕이 있을 때는 더 밝아진다.
밤에는 사막의 기온이 급격히 떨어지기 때문에,
도마뱀의 활동성도 급격하게 떨어진다. 해가 뜨면
햇볕을 쬐어 체온을 신속하게 데우도록 하는데,
이러한 습성 때문에 쉽게 길거리에 나와 있는 도마뱀이
쉽게 차에 치이기도 한다. 배와 다리의 통로들은
도마뱀이 이슬을 마실 수 있도록 도와준다.

세계 어느 곳에?
호주 대부분의 지역에 분포한다. 분포 지역
모래흙과 연관이 깊어 도깨비도마뱀은 특히
내륙 지역의 스피니펙스 다년생 식물과
사막이 있는 지역에 흔하다.

얼마나 클까?

뿔

각 눈 위에 뿔이 있으며,
지방성분을 보관하는
장소이기도 하다.

스파이크 혹

머리 뒷부분에 있는 매우 눈에 띄는
부풀어 오른 이 부분은 아마도
방어적인 목적을 가지고 있을 것이다.

다리

다리는 날카로운 가시털로
보호를 받으며 날카로운
발톱이 달려 있다.

겉모습

몸은 불규칙적인 배열의 뿔들로 덮여 있으며,
이것은 위장과 보호의 기능을 제공한다.

침에 영향 받지 않는다

이 도마뱀들은 개미의 독에 대해서 면역을 가지고 있는
것으로 보인다. 곤충들의 흔적을 쫓아
둥지 밖에서 매복했다가 사냥한다.

방어 자세

도깨비도마뱀은 머리 위에 있는
혹을 이용하여 딩고 같은
잠재적인 포식자에게 겁을 준다.

뱀도마뱀(굼벵이무족도마뱀)
Slow Worm

생태 정보
무게: 13~28g
수컷들이 더 작다.
길이: 30~50㎝
성 성숙: 3년, 성장률에
기초하며 성숙도는 나이보다
몸의 크기와 연관된다.
임신 기간: 3~5개월
새끼 수: 6~12마리의 새끼를
낳으며 최대 26마리를
낳을 수 있다.
먹이: 어두워진 후 지렁이,
민달팽이, 달팽이, 거미를
포함한 무척추동물들을
잡아먹는다.
수명: 20년

뱀도마뱀은 뱀처럼 보이지만 도마뱀이다. 움직일 수 있는
눈꺼풀 덕분에 눈을 깜박거릴 수 있다는 사실이 이를 나타낸다.

새끼 뱀도마뱀은 어미의 태반과는 관계없이 어미의
체내에서 알의 상태로 성숙되어진다. 막의 형태로
태어나며 거의 태어나자마자 막을 뚫고 나온다.
색상은 상당히 다양한데, 어떤 것은 은회색이며 몸의
옆면을 따라 두드러진 검정색 무늬가 있고 금갈색인
것도 있다. 이들은 흔히 정원과 채소밭에서 보여지는데
그곳에 먹이가 있기 때문이다. 가끔 퇴비 더미 속으로
파고들기도 하며 서식지 내의 일정 구역에서 서식한다.

세계 어느 곳에?
유럽 전역에 광범위하게 분포하지만, 극북과
스페인에는 없다. 아시아 북서부 지역으로
확장되며 최근에는 아일랜드의 동버른
지역에 유입되었다.

얼마나 클까?

꼬리
꼬리 부분은
상당히 무디다.
끝부분은 없어질 수도
있고 재생될 수도 있다.

겉모습
검은 줄무늬가 등의 중심을
따라 내려온다. 하지만
수컷들은 성숙하면
이 줄무늬가 사라지게 된다.

천연색
다 자란 도마뱀의 색상은
갈색부터 빨간색까지
다양하다.

머리
머리는 몸으로 바로
연결되어 있으며,
머리의 비늘은
다른 곳처럼 매우 작다.

방어 반응
뱀도마뱀은 위협을 받으면, 피 한 방울 흘리지 않고 꼬리를 분리시킨다.
꼬리 부분은 땅에서 경련을 일으켜 포식자의 주의를 끌어
뱀도마뱀이 눈에 띄지 않고 사라지도록 도와준다.

허물 벗기
뱀도마뱀은 성장하면서
껍질을 벗는다. 얇고 반투명한
껍질로 몸에서 분리된다.

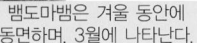

뱀도마뱀은 겨울 동안에
동면하며, 3월에 나타난다.

보아뱀
Boa Constrictor

생태 정보
무게: 최대 45kg
길이: 평균 2~3m
(훨씬 더 큰 것도 기록되었다.)
성 성숙: 2~4년
임신 기간: 100~150일. 부화
하면서 바로 새끼가 태어난다.
새끼 수 : 20~50마리, 새끼는
처음에 약 50cm로 측정된다.
먹이: 도마뱀을 먹으며 박쥐,
쥐, 다람쥐를 포함한 작은
포유류와 다양한 조류
수명: 10~30년

보아뱀은 주로 나무 위에서 사냥한다.
다른 뱀들처럼 먹잇감을 졸라서 숨을 못 쉬게 만든다.

보아뱀은 자연계에서 한 종의 학명과 속명이 일치하는
드문 경우다. 적응력이 뛰어나 반사막 지역에서부터
울창한 우림 지역까지 광범위하게 발견된다.
새끼 보아뱀은 나무에서 사냥하는 경향이 있고,
더 나이가 들고 몸이 무거워지면 땅에서 매복하고
있다가 사냥하는 것을 좋아한다.
먹이는 통째로 삼켜진 후 천천히 소화시킨다.

세계 어느 곳에?
다양한 지역에서 발견되며, 멕시코 북부와
연안의 다양한 섬들에서부터 카리브 해의
일부 지역들을 거쳐 남아메리를 통과해
아래로 아르헨티나까지 분포하고 있다.

얼마나 클까?

천연색
보아뱀의 광범위한 분포지역에
따라서 색깔은 다양하다.
꼬리는 불그스름하다.

비늘
열에 민감한
전문화된 비늘들은
먹잇감을 감지할 수
있으며 머리에
위치하고 있다.

똘똘 감기
나뭇가지 윗부분을 따라
이동할 수 있으며,
나무에서 안전하게
떨어질 수 있다.

혀
혀끝이 갈라져 있는데, 이 부분은
먹이의 냄새 분자들을 감지하고
또한 가능한 짝을 찾아낸다.

짝짓기
짝짓기는 땅에서 이루어지는데, 암컷은 짝짓기 할
준비가 되면 배설물을 통해 냄새를 발산한다.

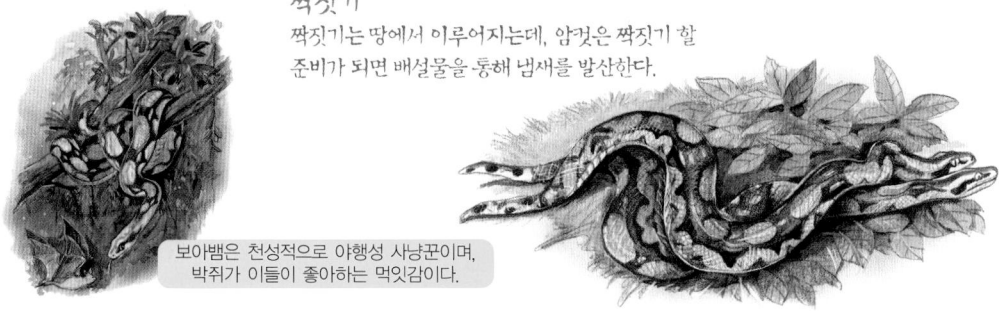

보아뱀은 천성적으로 야행성 사냥꾼이며,
박쥐가 이들이 좋아하는 먹잇감이다.

그린아나콘다
Green Anaconda

생태 정보
무게: 107~250kg,
암컷이 훨씬 크다
길이: 평균 6m,
(훨씬 더 큰 것도 기록되었다.)
성 성숙: 암컷은 3년,
수컷은 18개월
임신 기간: 6~7개월
새끼 수 : 20~100마리
먹이: 큰 물고기, 악어, 사슴,
원숭이, 때때로 사람
수명: 10~30년

그린아나콘다는 세계의 뱀 중 가장 큰 종이라고 여겨진다.
단지 거대한 뱀들의 길이를 측정하기란 쉽지 않다.

그린아나콘다의 학명은 '훌륭한 수영선수' 를
의미하는데, 이들의 수생 생활을 나타낸다. 물속에서
먹이를 사냥하는 것 외에도, 숲에서 물을 마시러 오는
동물들을 사냥해 몸을 졸라 죽인다. 입술을 따라 있는
열을 감지하는 구멍들 덕분에 완전한 어둠 속에서도
따뜻한 피를 가진 먹잇감의 사냥이 가능하다. 심지어
물속에서도 움직임 소리를 감지해 낼 수 있다.

세계 어느 곳에?
남아메리카, 안데스 산맥의 동쪽, 아마존과
오리노코 강 유역 전역에 나타나며 기아나로
확장된다. 보통 물과 가까운 지역에서
발견되고 있다.

얼마나 클까?

천연색

아나콘다의 외모는
존재를 감추는데 도움이 된다.
밑부분은 노란빛이다.

두개골

두개골의 뼈는 상대적으로 유연하다.
이로 인해 아나콘다가 큰 먹이를
삼키는 것이 가능하다.

무늬

검정 반점들은 다양하여
개별적으로 구별할 수 있게 해준다.

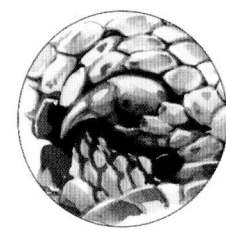

쇠발톱

꼬리 근처에 쇠발톱이 있어 짝짓기에
유용하다. 이 부분은 뒷다리가
퇴화한 흔적으로 보인다.

출산

암컷 아나콘다는 알을 품고 있는 동안에는
먹지 않는다. 하지만 짝짓기 이후에
수컷들을 죽여서 먹었을 것이다.

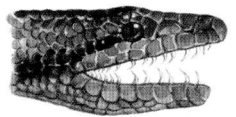

아나콘다는 턱 안에 뒤쪽으로 향한
이빨이 100개 있는데, 더 많은 이가
입천장 전체로 이어진다.

유럽카멜레온
European Chameleon

생태 정보
무게: 38~58g
길이: 20~38cm, (지역에 따라
다르며 암컷들이 약간 더 크다.)
성 성숙: 1년
부화 기간: 6~11개월,
온도에 영향을 받는다.
알의 개수: 최대 60개,
짝짓기 2달 후 알을 낳는다.
먹이: 주로 무척추동물들을
사냥하지만 다른 파충류와
조류, 작은 척추동물들도
먹는다. 식물을 먹기도 한다.
수명: 최대 6년

이 나무에서 사는 도마뱀은 놀라운 조정력을 보여준다.
길고 끝이 끈적끈적한 혀를 먹이에게 발사하고 순식간에 다시
이를 거두어들여서 입안으로 가져간다.

이 도마뱀들은 광범위한 서식지에서 나타난다.
관목지에서 산림지역까지, 최대 2590m 고도에서 산다.
봄에 짝짓기를 하며, 암컷들은 색깔을 변화시켜 짝짓기
준비가 되었음을 알린다. 만약, 검은 바탕에 노란색
점들이 보이면, 짝짓기는 거부됨을 알려준다.
어떤 지역은 겨울철에 매우 춥기 때문에, 카멜레온은
동면을 하기도 한다. 이때는 부화 기간을 연장시켜
새끼들은 알의 상태로 겨울을 나게 된다.

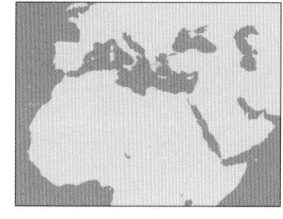

세계 어느 곳에?
유럽 남부에서 발견된다. 스페인 남부
지역들과 포르투갈에서부터 북아프리카와
지중해의 섬들에 서식하고, 요르단, 이스라엘,
사우디아라비아, 예멘까지 확장된다.

얼마나 클까?

눈
눈은 안와(눈구멍) 안에서
회전할 수 있으며,
카멜레온은 이를 통해
먹이를 발견할 수 있다.

투구
머리 뒷부분에
솟아 있는 이 부분은
수컷이 좀 더 높다.

발
발은 적응력이 뛰어나서,
카멜레온이 매우
효과적으로 잡을 수
있도록 해준다.

눈 움직임
카멜레온 눈의 독특한 특징들 중
하나는 눈이 독립적으로 움직일
수 있다는 점이며, 이로 인해
먹이의 위치를 쉽게 찾을 수 있다.

꼬리
꼬리는 물건을 잡기에
쉬울 뿐만 아니라 카멜레온이
나뭇가지에 붙어 있을 수
있도록 도와준다.

색깔 변화
카멜레온은 색을 변화시키는
놀라운 능력을 가지고 있는데,
주위 온도에 따라서 뿐만 아니라
기분에 따라서도 달라진다.

바실리스크이구아나
Plumed Basilisk

생태 정보
무게: 최대 200g
길이: 61~76cm
성 성숙: 1년
알의 개수 : 5~15개,
짝짓기 2달 후 산란
부화 기간: 약 10주,
주변 온도에 민감,
새끼는 달리고, 기어오르고,
수영하고, 다이빙할 수 있고,
잠수 상태로 최대 30분 정도
있을 수 있다.
먹이: 잡식성. 무척추동물이나
작은 척추동물을 먹고,
과일이나 채소도 먹는다.
수명: 7~10년

이 도마뱀들은 물 위를 달리는 능력으로 유명하다. 그러나
필요에 따라 수영이나 잠수도 잘 할 수 있다.

이 도마뱀에게는 시각적 의사소통이 중요하다.
바실리스크이구아나의 볏은 수컷과 암컷을 구별할 수
있게 해주며 까딱거리는 머리의 움직임은 잠재적인
충돌을 경고하는 역할을 한다.
바실리스크 이구아나는 보통 물과 가까운 우림 지역에
서식한다. 수컷들은 매우 공격적이며 알은 땅속에
묻어져 버려진다. 새끼 도마뱀들은 스스로 부화한
이후에 각자 다른 방향으로 이동한다.

세계 어느 곳에?
중앙아메리카와 남아메리카에 서식하는데, 분
범위는 멕시코에서부터 남쪽으로 에콰도르까
확장된다. 미국에 도입된 개체군은 소문에
의하면 플로리다의 데이드 카운티에 존재한c

얼마나 클까?

볏
수컷은 머리, 등, 꼬리에
볏을 가지고 있고 암컷은
머리 위에만 볏이 있다.

천연색
녹색 색조에 밝은 반점들이
있으며 위장술이 뛰어나다.

식별
서로 다른 볏의 모양으로
다양한 품종의 바실리스크
이구아나를 구별할 수 있다.

뒷발가락
뒷발가락은 길고 물의
표면장력을 깨뜨리지 않아
도마뱀들이 물 위를
떠다닐 수 있게 한다.

꼬리
꼬리는 길고 점점
가늘어지며 물을
가로질러 달릴 수
있도록 도와준다.

걸음걸이
바실리스크 이구아나의 뒷다리는
물을 가로질러 최대 4.5m를 달릴 수
있도록 돕는다. 코스타리카에서
이들의 별명은 '예수 도마뱀'이다.

땅에서도 바실리스크 이구아나는
똑바로 설 수 있으며, 이것은 이들이
나뭇가지로 기어오르는 것을 돕는다.

풀뱀
Grass Snake

생태 정보
무게: 100~300g
길이: 100~130cm,
암컷은 최대 30cm 더 길다.
성 성숙: 1년
부화 기간: 약 70일,
주변의 온도에 따라 다르다.
알의 개수: 8~40개,
딱딱한 껍질이라기보다는
가죽 같다.
먹이: 주로 양서류, 특히
개구리나 두꺼비, 그리고
물고기와 작은 포유동물도
잡아먹는다.
수명: 최대 10년

이 뱀들은 수영을 잘하지만, 대부분의 시간을 물 밖에서 보낸다. 머리 부분의 독특한 무늬 때문에 '고리뱀' 이라고도 불린다.

풀뱀은 독성이 없어서, 맹금류, 까마귀 과의 동물들과
여우 같은 포식자들로부터 자신을 방어할 수 없다.
그러나, 침샘에서 악취가 나는 액체를 분비할 수 있는데
이것이 어느 정도의 보호 역할을 하기도 한다.
암컷들은 알을 낳기 위해 따뜻한 곳을 찾는데,
종종 부패하는 채소더미나 퇴비 더미에 알을 낳는다.
풀뱀은 지하 땅굴 속에서 동면한다.

세계 어느 곳에?
유럽 전역, 스칸디나비아로부터 아래로 이탈리
남부 지역까지 분포한다. 또한 아프리카 북서
지역에도 나타나지만 아일랜드에서는
발견되지 않으며 스코틀랜드에는 거의 없다.

얼마나 클까?

목테 무늬
목테 무늬가 목 뒷부분으로
이어진다. 색은 옅은
노란색과 검정색이지만,
나이든 암컷에서
노란색은 없어진다.

눈
둥근 동공을
가지고 있다.

밑부분
밑부분은 옅은
크림색이며
검정색 반점이
있다.

윗부분
색깔은 가변적인데,
짙은 녹색이나 갈색에서부터
회색이나 검정색으로 다양하다.

죽은 척해서 살기
고양이는 종종 풀뱀을 사냥하는데,
풀뱀은 죽은 척해서
고양이가 흥미를 잃게 한다.

사냥 전략
풀뱀은 물속에서 사냥하며,
매복해서 기다렸다가 먹잇감을
살아있는 채로 먹는다.

블랙맘바
Black Mamba

생태 정보
무게: 최대 1.6kg
길이: 보통 2.4~3m
(4.5m에 이르는 것도 알려져 있다.)
성 성숙: 2년
알의 개수: 10~25개,
짝짓기 이후 약 2개월 후에
알을 낳는다.
부화 기간: 2~3개월,
주변의 온도에 민감,
새끼들은 부화 이후 바로
물 수 있다.
먹이: 주로 들다람쥐나
너구리같은 작은 포유류
수명: 최대 12년

이 종은 아프리카의 가장 무서운 뱀 중의 하나인데,
이는 강력한 독과 땅 위에서 움직이는 빠른 속도 때문이다.

블랙맘바의 이름은 몸 색깔로부터 유래된 것이 아니라
입 안의 검은 부분으로부터 유래되었다.
낮 동안에 활동적인데 분포 지역 중 특별한 지역에서
햇볕을 쬔다. 가끔 나무 위로 기어 올라가기도 한다.
뱀들 중에서 시속 최대 20㎞의 속도로 이동할 수 있는
가장 빠른 뱀으로 순위를 차지하며, 이 때문에 사냥감을
추적하는데 유리하다. 이들의 강력한 독은 전신을
마비시킬 수 있으며 먹잇감은 호흡장애로 질식사한다.

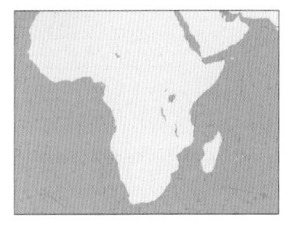

세계 어느 곳에?
아프리카 동부와 남부 지역에 광범위하게
분포하며, 북동부의 소말리아 부근으로부터
남쪽으로 남아프리카까지 확장된다.

얼마나 클까?

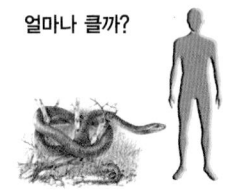

윤곽
몸통은 길고
꼬리는 끝으로
갈수록
가늘어진다.

비늘
비늘의 무늬는 매우
선명하다. 가장 큰 비늘은
머리 부분에 있다.

눈
눈은 커서,
뛰어난 시계를
제공해 준다.

천연색
이름과 달리, 이 뱀들은 실제로는
회색이다. 어린 뱀들은 색깔이
올리브색에 더 가깝다.

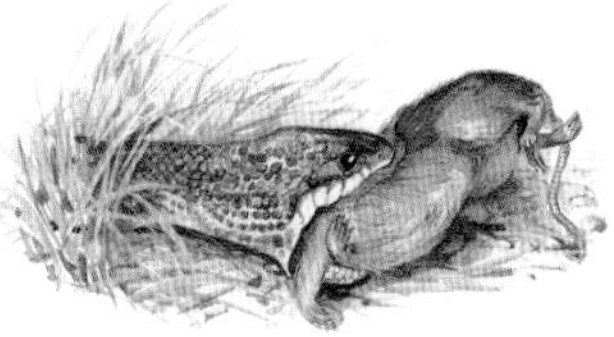

사냥 전략
뱀은 먹이를 물은 후 독이 퍼져
효과를 나타낼 때까지 기다리는데,
새들은 잡은 후에도 계속 붙잡아둔다.

공격 준비
사람이 블랙맘바에게 물리면 죽을 수
있지만, 사망자는 드물다. 이들의 독은
사는 지역에 따라 다르다.

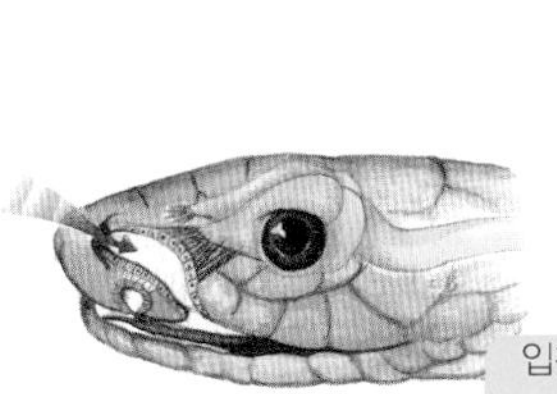

입천장에 있는 야콥슨 기관은 사냥감이나
냄새를 탐지하는 것을 돕는다.

동부 산호뱀
Eastern Coral Snake

생태 정보
무게: 최대 34g
길이: 보통 80cm이나
130cm에 달할 수도 있다.
성 성숙: 2년
알의 개수 : 3~12개,
지하 또는 통나무의 구멍에
여름에 알을 낳는다.
부화 기간: 약 3개월,
주변의 온도에 민감, 새끼는
부화 이후 바로 물 수 있다.
먹이: 다른 파충류를 사냥한다.
(주로 작은 뱀과 도마뱀을 먹는다.)
수명: 최대 7년

이 뱀은 맹독성이며, 주홍왕뱀처럼 해가 없는 종들이
포식자들을 헷갈리게 하느라 동부산호뱀의 모습을 흉내 낸다.

밝은 색상에도 불구하고, 이 뱀들은 겁이 많아 거의
모습을 드러내지 않는다. 특별히 공격적이지 않으나
위협을 느끼면 꼬리를 세워 몸의 끝부분이 머리인
것처럼 위장하여 상대를 공격하거나 도망갈 수 있는
기회를 만든다.
동부산호뱀의 독은 1~2시간 내에 사람을 죽일 수
있을 정도로 강하므로, 만약 물리면 신속한
병원 치료가 반드시 필요하다.

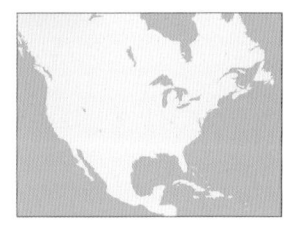

세계 어느 곳에?
미국 남동부 지역에서 발견되며, 노스캐롤라이
남동부에서 사우스캐롤라이나를 거쳐
플로리다까지, 그리고 서쪽으로 조지아, 앨라바
미시시피와 루이지아나 전역에 분포한다.

얼마나 클까?

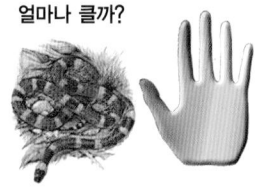

무늬
좁고 노란 고리
모양으로 구분된
빨간색과 검정색이
뚜렷이 나타난다.

꼬리
수컷이 더
길지만,
전체적으로는
암컷이 더 크다.

머리
머리의 검정색은
눈 뒤까지 이어진다.

동공
동공은 둥글고 검다.
이 뱀들은 낮에 활동적이다.

위장술
다른, 무독성 뱀들은 밝은 색깔로 진화해 왔다.
동부 산호뱀을 구별하는데 도움을 주는
잘 만들어진 겨언이 있다('빨간색이 노란색과
닿으면, 친구를 죽인다.').

이 뱀은 입을 매우 넓게 벌릴 수 있어,
긴 송곳니를 먹잇감에게 박아 넣어
독을 주입할 수 있다.

킹코브라

King Cobra

생태 정보

무게: 최대 6kg

길이: 보통 3.6~4m이지만,
5.7m에 달할 수도 있다.

성 성숙: 2년

알의 수 : 3~12개,
땅속 또는 통나무의 구멍에
여름에 알을 낳는다.

부화 기간: 약 3개월,
주위 온도에 민감, 새끼는
부화 이후 바로 물 수 있다.

먹이: 독이 있는 종을
포함하여 다른 뱀을 사냥하며,
도마뱀 같은 척추동물도 먹는다.

수명: 최대 20년

킹코브라는 전 세계에서 독이 있는 품종 중 가장 크다.
이 뱀의 학명은 '뱀을 먹는 자' 라는 의미이며 매우 위험하다.

뱀의 독은 전문화된 위쪽 침샘에서 생산된다.
독은 매우 치명적이어서 어른 아시아코끼리가 코를
한 번 물리면 몇 시간 내에 사망에 이를 수 있다.
독은 뱀의 크기에 비례하는데 뱀의 크기는 다른 뱀들과
비교하여 한 번 물 때 더 많은 독을 만들어 주입할 수
있게 한다. 먹이를 먹을 때, 새와 같은 작은 먹잇감을
물기보다는 졸라 죽이는 것을 볼 수 있다.

세계 어느 곳에?

인도 서부와 파키스탄에서부터 동남아시아
전역으로 확장되며 자바, 수마트라,
보르네오의 섬들을 포함한다.
주로 고지대의 산림에서 발견된다.

얼마나 클까?

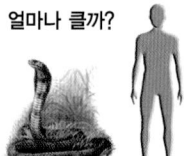

턱
턱뼈는 매우 유연하여,
킹코브라가 자신의 머리보다
훨씬 큰 먹잇감도
삼킬 수 있게 한다.

우산 모양의 목
이 부분이 머리의 측면을
더 커 보이게 만든다.

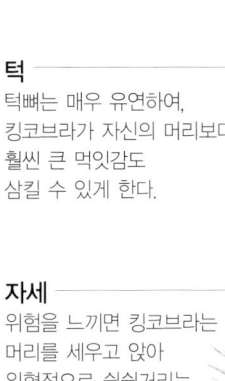

자세
위험을 느끼면 킹코브라는
머리를 세우고 앉아
위협적으로 쉭쉭거리는
소리를 낸다.

천연색
윗부분은 거무스름한
색이며 아랫부분은
더 연한 색이다.

눈에 띄지 않는 생활방식
킹코브라는 어두운 색상 때문에
배경과 뒤섞일 수 있으며
낮에 활동적이다.

극적인 시력
우산 모양의 목 뒷부분에 두드러진
눈알 무늬(즉, 가짜 눈)가 있어 이를 통해
포식자를 혼동시킨다.

토케이 게코
Tokay Gecko

생태 정보
무게: 150~300g
길이: 20~40cm.
수컷이 훨씬 크다.
성 성숙: 2년
알 수: 1~2개.
암컷에 의해 보호된다.
부화 기간: 보통은 90~100일
(온도에 따라 60~200일까지)
먹이: 다양한 무척추동물을
잡아먹는데, 파리와 담장 위에
돌아다니는 기타 곤충들을
잡을 수 있다.
수명: 7~10년.
(사육상태에서는 18년까지)

토케이 게코는 도마뱀 중에서 두 번째로 큰 종이며, 도마뱀 과의 다른 도마뱀들처럼 기어오르는 것에 관해서는 탁월한 민첩성을 보여준다. 이들은 단독생활하는 도마뱀이다.

이 특별한 도마뱀의 이름은 이들의 울음소리로부터 나왔다. 이들은 종종 주택에 살며 낮에는 숨어 있다가 밤에 나타나는데, 어려움 없이 담을 가로질러 달릴 수 있다. 이는 이 도마뱀들의 독특한 발가락 구조 때문에 가능하다. 이들은 접근하기 어려운 곳에 알을 모아 붙여 놓는데 부화온도에 의해 갓 부화한 새끼의 성별이 결정된다. 높은 온도는 수컷을 만들 가능성을 높여준다.

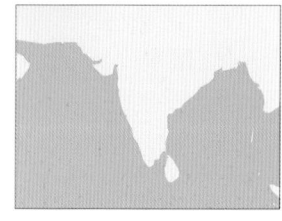

세계 어느 곳에?
인도 북동부와 방글라데시, 동남아시아
전역과 인도네시아를 거쳐 뉴기니 서부까지
서식한다. 플로리다를 포함하여 미국
여러 지역으로도 유입되었다.

얼마나 클까?

눈동자
갈라진 틈 같은 형태의
눈동자는 이 도마뱀들이
밤에 활동적이라는
사실을 확인해 준다.

발가락
발가락은 평평하고
다른 도마뱀들보다
훨씬 더 넓다.

바탕색
녹색 빛에서 파란색과 회색의
색조까지, 부분적으로는
주변 환경에 의해 좌우된다.

반점
이 솟은 부분들은 파란색과
불그스름한 오렌지색이 섞여 있다.

살아남기
토케이 게코는 자신들의 꼬리를 쉽게
떼어낼 수 있는데, 이를 이용해서
포식자들의 공격으로부터
도망갈 수 있다.

이 도마뱀의 발 밑부분을 살펴보면,
얇은 판을 볼 수 있는데 이를 이용하여
수직 표면을 기어올라갈 수 있다.

아메리카 독도마뱀
Gila Monster

생태 정보
무게: 1.3~2.25kg,
가장 무거운 도마뱀은
미국에서 발견되었다.
길이: 30~60cm,
수컷이 훨씬 크다.
성 성숙: 3~5년,
성장속도에 따라 다르다.
알 수: 2~12개, 평균 5개.
부화 기간: 약 9개월
먹이: 주로 조류와 파충류의
알, 작은 척추동물들도 먹는다.
수명: 20년,
사육상태에서는 30년까지

이 세상에서 유일한 두 종의 독도마뱀 중 하나이다.
이 도마뱀의 독은 사람 성인에게는 치명적이지 않다.

뱀과는 달리, 이 도마뱀들의 독선은 아래턱의 침샘과
연결되어 있다. 독은 씹는 동작에 의해 방출되며,
상당히 독특하다. '헬로더민(helodermin)'이라고 불리는
성분은 폐암의 성장을 억제할 수 있다. 침의 또 다른
성분은 당뇨병 치료제로 개발되어 왔으며, 또 비만
치료에도 유용하다고 알려져 있다. 이 도마뱀들은
대부분의 시간을 땅속에서 보내며 겨울 동안에는
겨울잠을 자지만, 필요하다면 기어올라갈 수 있다.

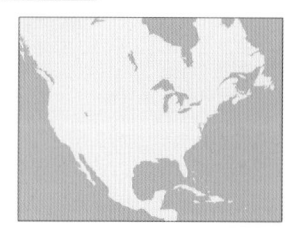

세계 어느 곳에?
미국 남서부지역과 멕시코에서 발견된다.
캘리포니아, 네바다, 유타, 아리조나, 뉴멕시코
남쪽으로 소노라와 시날로아까지 서식한다.
탁 트인 농장지대에서는 발견되지 않는다.

얼마나 클까?

꼬리
꼬리는 지방 저장 공간으로 사용되는데,
도마뱀이 오랫동안 먹지 않아도 살 수 있도록
도와준다.

앞발
앞발은 힘이 세며
끝부분에 강력한 발톱이 있어
도마뱀이 땅을 파는데 도움이 된다.

비늘
비늘은 다양한 색깔의 구슬처럼 보이며,
검정색, 분홍색, 오렌지색, 노란색을 띤다.

치명적인 물기
이빨들은 아래턱에
느슨하게 붙어 있다가,
부러지면서 독을
분출한다.

냄새
아메리카 독도마뱀은 예리한 후각을 가지고 있는데,
이를 이용하여 숨어있는 먹잇감을 찾아낸다.

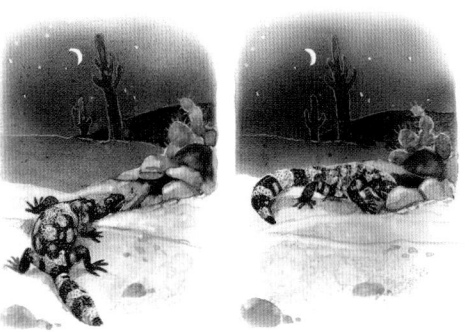

바다이구아나

Marine Iguana

생태 정보

무게: 0.5~1.5kg,
수컷은 최대 10kg
길이: 60~130cm,
수컷이 암컷보다 약 2배 크다.
성 성숙: 암컷은 3~5년,
수컷은 6~8년
알 수: 매년 2~4개
부화 기간: 90~120일
먹이: 홍조류와 녹조류.
해조류의 주기적인 소멸은
개체 수에 불리하게
영향을 준다.
수명: 15~20년

바다이구아나는 유일한 바다 도마뱀이며, 이들의 조상은
수천 년 전 갈라파고스 섬에 정착하였다.
이 이구아나들은 찰스 다윈의 진화론에 영감을 주었다.

바다이구아나의 조상은 남아메리카의 북부에서부터
섬으로 떠내려와 섬에서 섬으로 퍼져나간 것으로
보인다. 개체군 간에 현격한 크기 차이를 나타내는데,
이사벨라 섬에서 발견된 이구아나들이 가장 크며,
가장 작은 이구아나들은 제노베사에 나타난다.
바다이구아나는 육지로 다시 돌아올 때까지 찬물에서
최대 30분 동안 수영할 수 있으며 바다에서 육지로
다시 돌아온 후 햇볕을 받으며 체온을 높인다.

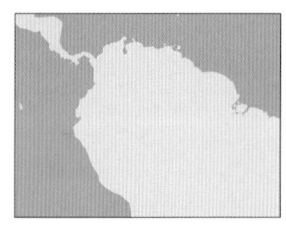

세계 어느 곳에?
남아메리카의 북서쪽 해안에서 태평양쪽으로
위치한 갈라파고스 군도에만 서식하며,
갈라파고스 군도 내의 모든 섬에서 발견된다.

얼마나 클까?

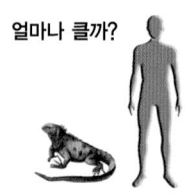

머리
흰 부분은 소금이 쌓인
부분이다. 이 소금들은
특수한 코샘을 거쳐
몸 밖으로 나온 것이다.

번식 상태
수컷들은 번식 상태에 들어가면,
불그스름한 색상을 보인다.

몸 색상
몸 색상은 어두워서
열을 빨리 흡수할 수 있고
이를 통해 체온을 올린다.

발
힘이 센 발가락은 날카로운 발톱이 달려 있어서
바다 이구아나가 미끄러운 바위를 기어 올라갈
수 있도록 도와준다.

위험
바다이구아나가
바다에 있는 동안
상어는 위협적인 존재이다.

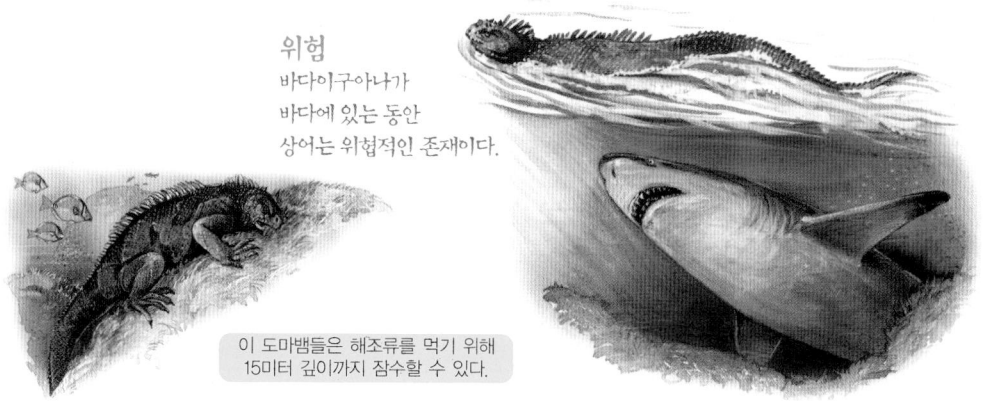

이 도마뱀들은 해조류를 먹기 위해
15미터 깊이까지 잠수할 수 있다.

녹색이구아나

Green Iguana

생태 정보

무게: 5~9kg

길이: 150~200cm, 꼬리의 길이가 몸통의 길이와 똑같다.

성 성숙: 2.5~5년

알 수: 20~70개, 1년에 한 번 알을 낳는다.

부화 기간: 90~120일, 짝짓기 이후 65일이 지나면 알을 낳는다.

먹이: 나이가 많은 이구아나는 식물성과 과일을 먹고 살며, 새끼들은 좀더 잡식성으로 알, 무척추동물, 작은 척추동물을 먹는다.

수명: 20년

이 초식성의 도마뱀들은 무시무시한 이빨을 가지고 있으나, 턱의 안쪽에 위치해 있어 눈에 잘 띄지 않는다.

이 도마뱀들의 피부는 상당히 탄탄하다. 이들은 매우 민첩하여 15미터 높이에서 떨어져도 상처를 입지 않고 살아남을 수 있다. 부분적으로는 뒷다리를 이용해서 떨어질 때 초목을 붙잡아 떨어지는 속도를 늦추기 때문이다. 녹색이구아나는 밤에 활동적이며, 수영할 때 다리 대신 꼬리를 이용하여 추진력을 얻는다. 꼬리는 분리되어 포식자들로부터 구해준다.

세계 어느 곳에?

멕시코로부터 남아메리카까지 발견되며, 남쪽으로는 브라질 남부와 파라과이까지 분포한다. 또한 카리브 해 지역의 여러 섬들에서도 발견된다. 플로리다에도 유입되었.

얼마나 클까?

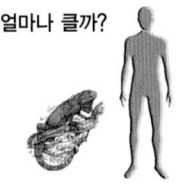

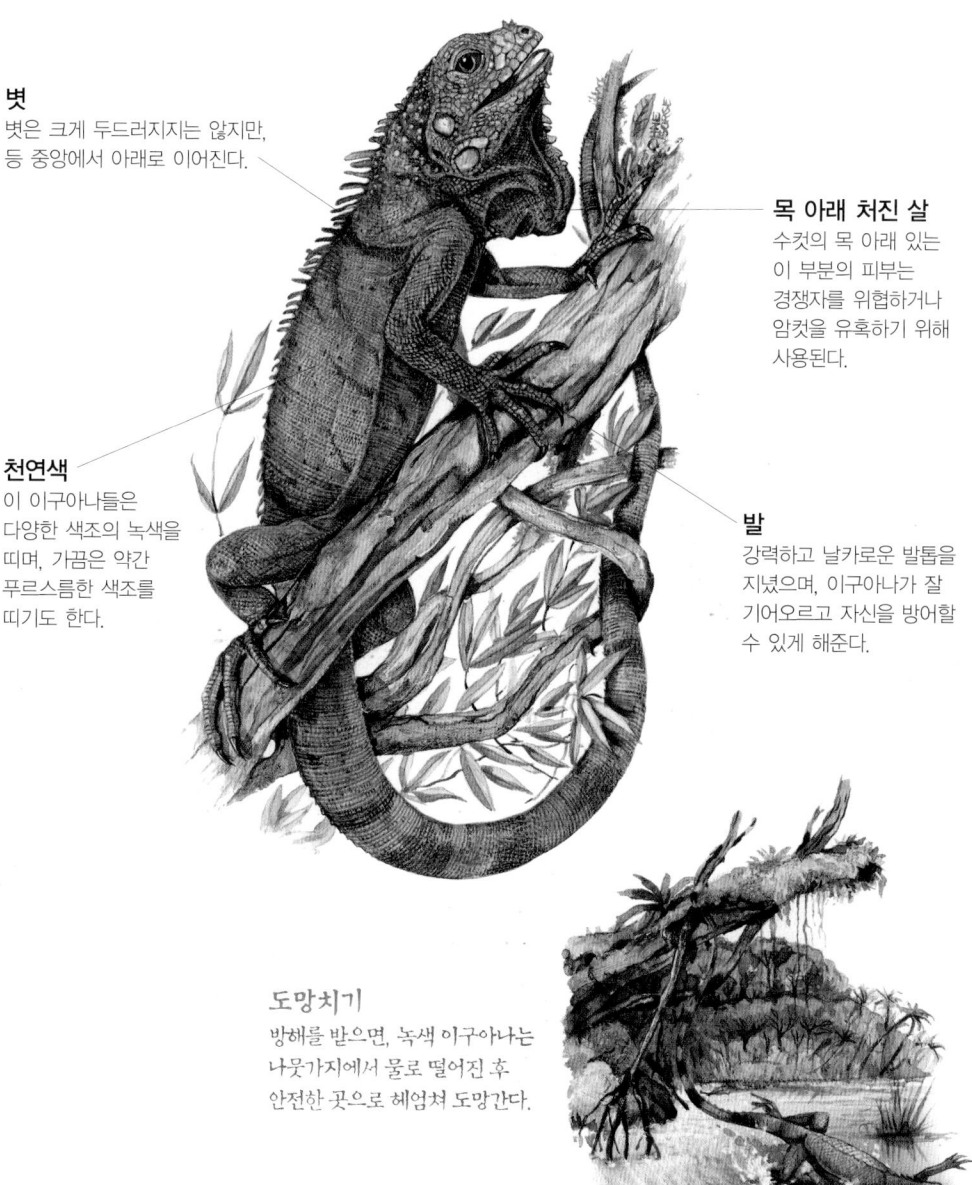

볏
볏은 크게 두드러지지는 않지만,
등 중앙에서 아래로 이어진다.

목 아래 처진 살
수컷의 목 아래 있는
이 부분의 피부는
경쟁자를 위협하거나
암컷을 유혹하기 위해
사용된다.

천연색
이 이구아나들은
다양한 색조의 녹색을
띠며, 가끔은 약간
푸르스름한 색조를
띠기도 한다.

발
강력하고 날카로운 발톱을
지녔으며, 이구아나가 잘
기어오르고 자신을 방어할
수 있게 해준다.

도망치기
방해를 받으면, 녹색 이구아나는
나뭇가지에서 물로 떨어진 후
안전한 곳으로 헤엄쳐 도망간다.

발칸 녹색도마뱀
Balkan Green Lizard

생태 정보
무게: 50g 정도
길이: 33~60cm
성 성숙: 2년. 수컷은 머리 양
옆을 파란색으로 변화시킨다.
알 수: 1회당 7~18개, 암컷이
1년에 두 번 알을 낳는다.
부화 기간: 40~90일,
새끼들은 갈색이며 3개 내지
5개의 줄무늬가 있다.
먹이: 무척추동물을 먹으며,
알, 어린 새, 새끼 설치류,
과일을 먹기도 한다.
수명: 10년

이 화려한 도마뱀은 관목 같은 초목이 있는 지역에서 흔히
볼 수 있는데, 보통은 비교적 고도가 낮은 곳에 산다.
때때로 배수로에서 헤엄치고 있는 것이 목격되기도 한다.

낮 동안 활동적인 이 도마뱀은 아침에 은신처에서 나와
햇볕이 잘 드는 곳을 찾아 바위 위에서 휴식을 취한다.
이렇게 체온을 급격히 올리게 되면 색상이 좀 더
선명해진다. 이후 사냥을 시작하는데, 시력을 이용해
먹잇감의 위치를 파악한다. 발칸 녹색도마뱀은
그 크기에도 불구하고 빠르고 민첩하며, 신속한
반사작용을 이용해 먹잇감을 잡을 수 있다.
위협을 느끼면 은신처로 재빨리 달아날 수 있다.

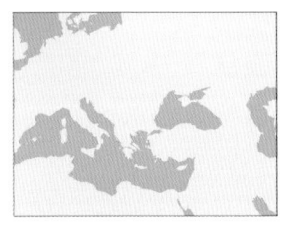

세계 어느 곳에?
크로아티아 북서부로부터 발칸 반도를 지나
그리스, 에게 해 제도와 터키에 서식한다.
또한 루마니아와 불가리아에도 나타나며,
카프카스 산맥까지 확장된다.

얼마나 클까?

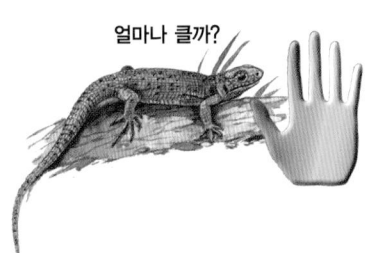

콧구멍
눈에 띄는 콧구멍이 아래로 낮게 자리 잡고
있으며, 윗턱 바로 위에 있다.

꼬리
꼬리는 몸통 길이의 2배이며, 포식자에게
붙잡힐 경우 꼬리를 떼어낼 수 있다.

천연색
어른 도마뱀은 밝은 초록색이며
등 위에 검은 반점들이 있다.

발가락
발가락은 호리호리하며,
끝부분에 발톱이 있다.
뒷발가락은 더 길다.

알 강화하기
암컷 발칸 녹색도마뱀은
달팽이를 껍질 째 먹음으로써
알껍질을 위한 칼슘을 얻는다.

기회주의적 식성
이 도마뱀은 작은 포유동물의
둥지를 습격하기도 한다.

발칸 녹색도마뱀의 겉모습은
매우 다양한데, 어떤 것들은 더 큰
부분의 어두운 얼룩반점을 보인다.

벽도마뱀
Common Wall Lizard

생태 정보

무게: 최대 8g

길이: 전체적으로 10~20cm

성 성숙: 2년

알 수: 2~10개, 1년에 최대
3번 알을 낳는다.

부화 기간: 42~77일,
보통 7월경에 부화한다.

먹이: 식충성. 작은 파리부터
귀뚜라미와 커다란 여치까지
먹으며, 겨울 동안 동면한다.

수명: 7년

이 도마뱀은 상당히 민첩하여, 어려움 없이 벽을 달려 올라가고 절벽의 바위를 따라 달릴 수 있다. 필요하면 헤엄도 칠 수 있다.

대부분의 도마뱀들과는 달리, 벽도마뱀은 수컷 한 마리와 여러 마리의 암컷, 어린 새끼들로 이루어진 느슨한 군집으로 산다. 낮에 활동적이며 종종 햇볕을 쬐지만, 매우 민감하여 어떤 위험의 조짐에도 곧바로 은신처로 도망친다. 이들은 도시 지역에 흔하게 서식하는데, 정원과 건물들 근처에서 발견되기도 하며, 천성적으로 매우 적응력이 뛰어나다. 북아메리카의 브리티시 콜롬비아에서부터 오하이오까지 자리잡았다.

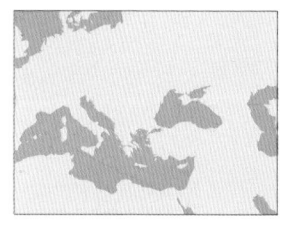

세계 어느 곳에?

유럽 남부의 대부분 지역에서 발견되는데, 네덜란드, 벨기에로부터 크로아티아와 이탈리아까지 서식한다. 잉글랜드 남부 지역과 북아메리카에 유입되었다.

얼마나 클까?

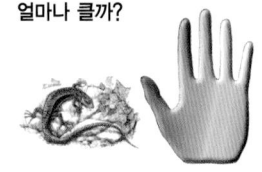

윤곽
비교적 얇은 몸 형태는 이들이 좁은 공간으로
쉽게 미끄러져 들어가는데 도움이 된다.

머리
머리는 등을 따라 있는 비늘보다
훨씬 더 큰 비늘로 덮여 있다.

발가락
뒷발의 발가락은 길고
가늘며 끝부분에는
날카로운 발톱이 있다.

무늬
무늬는 매우 개별적이고,
색상은 갈색부터 회색까지
다양하다.

위험과의 작은 충돌
포식자에게 꼬리를 내어주는 일은
흔한 일이다. 비록 꼬리가 다시
자라나더라도, 변형되며 보통 다시
완전한 크기로 자라지는 않는다.

벽도마뱀은 보통 바위 밑에 알을 낳는데,
돌에 의해 발산되는 열이 부화를 돕는다.

인도왕뱀
Indian Python

생태 정보
무게: 32~55kg,
무려 91kg이 나갈 수도 있다.
길이: 평균 3.7m이지만
6.4m에 이른 것도 있다.
성 성숙: 3년
알 수: 20~60개, 최대 100개,
짝짓기 이후 약 3.5개월 후에
알을 낳는다.
부화 기간: 2~3개월,
새끼들은 최대 60cm이다.
먹이: 다양한 포유류와 조류
수명: 20~30년

사람들에게 위협을 가하지는 않지만 큰 크기와 두려운 외모
때문에 사람들에게 죽임을 당하곤 한다.

인도왕뱀은 적극적인 사냥꾼이라기보다는 매복하여
먹이를 사냥한다. 윗입술의 비늘에 열 감지 구멍이 있어
완전한 어둠 속에서도 사냥감을 탐지할 수 있다.
인도왕뱀은 먹이를 졸라 죽이는 뱀으로서, 먼저 먹이를
휘감아 숨을 못 쉬게 만든 후, 머리부터 삼킨다.
먹이를 비교적 자주 먹지 않는데, 어떤 경우에는
먹지 않고 몇 주 동안 지내기도 한다. 물에서 가까운
곳에서 발견되며, 헤엄도 잘 친다.

세계 어느 곳에?
아시아 전역, 인도, 스리랑카, 파키스탄,
네팔에 산다. 동쪽으로 중국 남동부와
인도네시아에서는 검은 버마산 품종으로
대체되었다.

얼마나 클까?

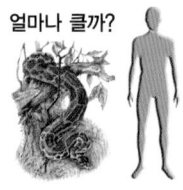

꼬리
몸통은 점점 가늘어져서
꼬리 부분은 좁아진다.

기어오르기
새끼 인도왕뱀은
종종 나무를
올라가지만 좀 더
무거운 뱀들은
땅 위에서 주로
생활한다.

무늬
무늬는 개체에 따라
매우 다르며, 뱀이
땅에 있을 때 훌륭한
위장 효과가 있다.

혀
혀의 끝부분은
갈라졌으며
입천장의
야콥슨 기관을
이용하여 냄새를
탐지한다.

스스로 독립
새끼 인도왕뱀은
부화하자마자 따로
떨어져 살며,
암컷들은 새끼들을
더 이상 보호하지 않는다.

모성본능
암컷 인도왕뱀은 자신의 알들을
감싸고 몸의 수축을 통해 알을
따뜻하게 유지한다. 암컷은
알이 부화할 때까지 먹지 않는다.

인도왕뱀은 매우 빨리 자라서 1년 만에
길이가 세 배 정도 된다. 부화한 지 1주일 후에
처음으로 탈피를 한다.

싱글백도마뱀
Shingleback Skink

생태 정보

무게: 32~55kg,
무려 91kg이 나갈 수도 있다.
길이: 30~45cm
성 성숙: 3년
임신 기간: 약 5개월,
새끼는 최대 60cm이다.
새끼 수: 1~2마리, 때때로
3마리, 태어났을 때 약 15cm
먹이: 잡식성이며, 꽃, 과일,
식물을 먹거나 무척추동물과
사체를 먹기도 한다.
수명: 20~30년

이 도마뱀은 특이한 겉모습을 가지고 있는데, 비늘의 패턴은
건물의 지붕에 사용되는 겹쳐 놓은 지붕널같이 배열되어 있다.

이 도마뱀은 보통 고속도로에 흔히 나타난다. 밤에
기온이 급격하게 떨어지는 지역에서 아침해가 뜨면
포장도로에 나와 햇볕을 쬐어 체온을 빨리 상승시킨다.
이들은 위험으로부터 도망치지 않고, 대신에 몸을
둥글게 구부려 독특한 C자 형태를 만들며 입을 벌려
'쉭쉭' 소리를 낸다. 짝을 이루어 함께 살며, 짝짓기는
11월부터 4월까지 일어난다. 수컷은 암컷이 준비되는
때를 후각에 의지하여 탐지해 낸다.

세계 어느 곳에?

호주에 한정되어 있으며, 호주대륙의 남부오
서부 지역에 분포한다. 모래 지역과 초원
지대에서 그레이트 디바이딩 산맥의
서쪽 지역까지 서식한다.

얼마나 클까?

비늘

비늘은 크고 몸으로부터 돌출되어 있는데,
이 때문에 '솔방울 도마뱀'이라고 부르기도 한다.

머리

머리는 삼각형 모양이며,
검은 눈이 바탕색과 조화된다.

꼬리

꼬리는 머리 형태처럼 보여
가망 포식자들을 혼란스럽게 한다.

혀

혀는 화살 모양이며,
눈에 띄는 파란색이다.

공짜 음식

도마뱀은 사체를 먹기 위해 도로에서 차에 치인
동물들을 노리곤 하는데, 자신이 결국 그 희생물이
되기도 한다(먹이를 노리다 자신이 차에 치이기도 한다.).

이 도마뱀들은 매우 건조한 환경에서
살지만, 필요하다면 헤엄도 잘 치는데
다리를 이용하여 노를 젓듯이 수영한다.

코모도왕도마뱀

Komodo Dragon

생태 정보

무게: 최대 166kg
길이: 최대 3.1m. 새끼들은
태어나자마자 약 15cm 정도
성 성숙: 암컷은 6~9년,
수컷은 7~10년
알 수: 15~30개.
부화 기간: 8~9개월.
먹이: 사슴과 멧돼지를
사냥하고, 염소를 먹이로
삼는다. 바다거북의 둥지를
파내고 썩은 고기도 먹는다.
수명: 30~50년

세상에서 가장 큰 도마뱀인 코모도왕도마뱀은 무시무시한
포식자이다. 코모도왕도마뱀은 4km 이상 떨어진 곳의 냄새도
정확하게 탐지해 내는 능력이 있다.

코모도왕도마뱀은 사람을 공격하고 먹는 것으로
알려져 있지만, 그런 경우는 매우 드물다. 그러나
이들의 침은 50가지 종류의 박테리아를 포함하고
있으며, 이 박테리아들은 치료되지 않은 상처로부터
치명적인 패혈증을 초래한다.
이빨은 크고 톱니 모양으로 되어 있어 큰 살덩어리를
한입에 꿀꺽 삼킬 수 있도록 한다.
오늘날 겨우 3천 마리 정도만이 살아 있다.

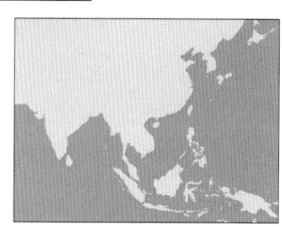

세계 어느 곳에?
아시아 남동부의 코모도 섬과 인근의
인도네시아 플로레스 주변 섬들에만
서식한다. 예전에는 동쪽으로
티모르 섬까지도 분포했다.

얼마나 클까?

꼬리
꼬리는 매우 강력해서
일격으로 먹이를 제압할 수 있다.
또한 도마뱀이 수영을 하도록 돕는다.

혀
혀는 공기 중의 냄새 분자들을
모아서 야콥슨 기관에 의해
정보를 분석해 낸다.

다리
강력한 뒷다리는 발톱을 가지고 있어
기어오를 수 있게 돕는다.

균형
서 있을 때 꼬리는
몸을 지탱해 준다.

싸움
대장 도마뱀들은 서로 간에
싸움을 벌이지만, 보통
상대방으로부터 물려도
감염되지는 않는다.

코모도왕도마뱀의
구부러진 발톱은
심한 상처를 입힐 수 있다.

텍사스 방울뱀
Texan Rattlesnake

생태 정보
무게: 평균 6.8kg,
최대 10.4kg, 수컷이 더 크다.
길이: 평균 1.2m
(2.13cm에 달하는 것도 있었다.)
성 성숙: 2~3년
임신 기간: 6~7개월
새끼 수: 12마리 정도,
태어나자마자 각각 흩어져서
살며, 이미 독을 지니고 있다.
먹이: 주로 작은 포유류를
먹는데 특히 설치류와 토끼를
먹고, 조류와 도마뱀도 먹는다.
수명: 최대 22년

이 독사는 공격하기 전에 경고로 내는 소리로 인해 방울뱀이라고
불린다. 수많은 박해에도 불구하고 많이 생존해 있다.

이 특별한 종은 가장 도전적이며 공격적인 방울뱀 중의
하나이다. 여름 동안에는 밤에 사냥을 하며 겨울이면
동굴 속으로 들어가거나 다른 생물들의 굴을 공유하여
겨울 내내 동면하지만 따뜻한 겨울날에는 가끔
나타나기도 한다.
텍사스 방울뱀은 적응력이 높아, 필요하다면 최대
2년 동안 아무것도 먹지 않고 생존할 수 있다. 이는
체지방을 저장해 놓기 때문이다.

세계 어느 곳에?
미국의 캘리포니아 연안 섬들과 아칸소
중부로부터 남쪽으로 멕시코의 시나로아
북부 지역들과 베라크루즈뿐만 아니라
이달고까지 확장된다.

얼마나 클까?

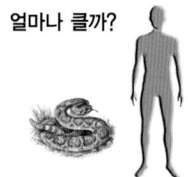

눈 줄무늬
눈의 줄무늬는 각 눈
밑에서부터 대각선으로
뺨을 가로질러 이어진다.

무늬
등의 무늬 때문에
다이아몬드 방울뱀이라고도 불린다.

방울
꼬리 끝에 있는 변형된
비늘에 의해 만들어진 음향 기관은
뱀이 나이들수록 더 커진다.

비늘
방울뱀들에 있어 비늘은
밑 색에 상관없이
눈에 잘 띈다.

경고하기
방울뱀은 탁 트인 곳에서 또아리를 튼 채로
휴식을 취하지만, 방해를 받으면 머리를
꼿꼿이 세워 위협적인 자세로 공격한다.

짝짓기
짝짓기는 봄에 이루어지며,
다른 뱀들처럼 수컷의 '반음경(hemipenis)'이
교미할 때 두 부분으로 갈라진다.

꼬리에 있는 변형된 비늘은 구슬이라 불리며
달그락거리는 소리를 내기 위해 서로 진동한다.

유럽북살모사
European Adder

생태 정보
무게: 50~100g,
암컷이 더 크다.
길이: 평균 60~75cm,
최대 104cm의 기록도 있다.
성 성숙: 암컷 3년, 수컷 5년
임신 기간: 3~4개월.
암컷은 격년으로 번식한다.
새끼 수: 3~20마리,
일반적으로 8마리
먹이: 작은 포유류(특히 쥐와
뾰족뒤쥐), 조류, 양서류 및
도마뱀
수명: 10~25년

유럽북살모사는 영국을 포함하여 분포 범위의 대부분에 걸쳐서
유일한 독사이지만 공격적인 종은 아니며, 충돌을 피한다.

이 뱀들은 동면에서 처음 나올 때, 날씨가 추우므로
덜 활동적이기는 하지만, 가장 위험한 뱀이다.
북살모사에게 물리는 것은 인간에게 치명적이지는
않지만 동물들에게는 가장 위험하다. 물리면
회복하는 데에 일 년까지 걸릴 수 있다.
살모사들은 보통 황야지대에 자주 다니지만, 숲의
빈터 같은 곳에 나타나기도 한다. 짝짓기는 보통 늦은
봄에 관찰되며, 새끼들은 여름 끝 무렵에 태어난다.

세계 어느 곳에?
유럽 서부의 대부분에 걸쳐 나타난다.
아일랜드에는 존재하지 않지만, 북쪽으로는
스웨덴, 동쪽으로는 아시아 대부분의
지역까지 확장된다.

얼마나 클까?

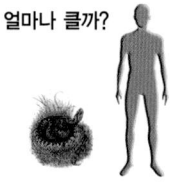

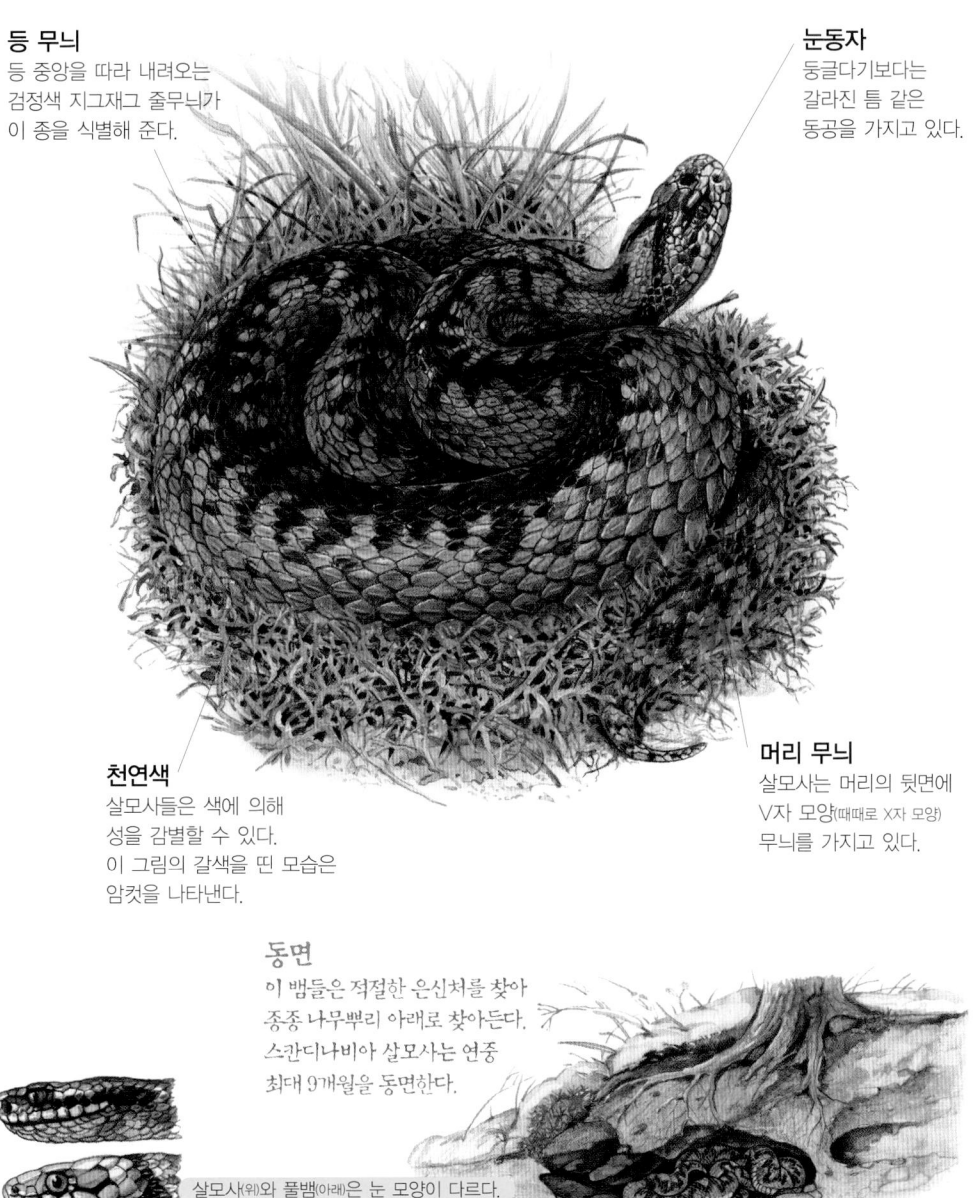

등 무늬
등 중앙을 따라 내려오는
검정색 지그재그 줄무늬가
이 종을 식별해 준다.

눈동자
둥글다기보다는
갈라진 틈 같은
동공을 가지고 있다.

천연색
살모사들은 색에 의해
성을 감별할 수 있다.
이 그림의 갈색을 띤 모습은
암컷을 나타낸다.

머리 무늬
살모사는 머리의 뒷면에
V자 모양(때때로 X자 모양)
무늬를 가지고 있다.

동면
이 뱀들은 적절한 은신처를 찾아
종종 나무뿌리 아래로 찾아든다.
스칸디나비아 살모사는 연중
최대 9개월을 동면한다.

살모사(위)와 풀뱀(아래)은 눈 모양이 다르다.

바다거북
Green Turtle

생태 정보

무게 : 최대 205g,
수컷이 더 크다.
길이 : 등껍질의 중앙을
가로질러서 71~150cm
성 성숙 : 10~24년
알의 수 : 100개~200개,
흰색이고 둥글다.
부화 기간 : 40~72일,
지역에 따라 다르다.
먹이 : 다 자란 바다거북은
해조류와 해안가에 자라는
해변식물을, 새끼들은
잡식성으로 게, 해파리와
기타 무척추동물들을 먹는다.
수명: 최대 80년

이 해양 파충류는 삶을 바다에서 보내지만, 암컷은 10년 이상
이전에 부화했던 해변의 둥지로 돌아온다.

암컷 바다거북이 새끼를 낳을 준비가 되었을 때, 그들이
부화했던 해변으로 어떻게 다시 찾아오는지는 아직
완전히 밝혀지지 않았다(지구의 자기장이 이 과정에 영향을
미치는 것 같다.). 짝짓기 한 후에, 바다거북은 어둠을 틈타
해안으로 올라와 뒷지느러미발을 이용하여 둥지를
파고 그 안에 알을 낳은 후 공들여 모래를 덮는다.
새끼들은 적절한 때에 스스로 모래 밖으로 나오고,
서둘러 바다로 내려간다.

세계 어느 곳에?

대서양에 서식하는 바다거북들은 미국
동부로부터 유럽까지 다닌다. 반면 별개의
태평양 개체군은 알래스카에서 칠레까지
서부 해안을 따라 확장된다.

얼마나 클까?

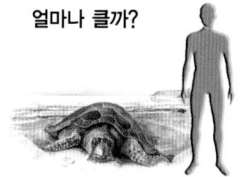

등껍질 모양
비교적 평평한 껍데기는
물의 저항을 줄여 수영하기 더 쉽게 한다.

위쪽 등껍질
등딱지라고 불리는 이것은
올리브색에서 갈색과 검정에
이르기까지 개체군에 따라 다양하다.

다리
다리는 효과적인 노이며,
바다거북이 모래 위에서
몸을 끌고 다녀야 하기 때문에
납작한 모양이다.

호흡
거북은 콧구멍을 통해
공기를 호흡하고 규칙적으로
수면 위로 올라와야 한다.

눈물
바다거북은 특별한 눈물샘을 통해
몸에서 초과된 염분을 배출한다.

짧은 삶
많은 포식자들이 무방비의
새끼 바다거북들을 포획할 것이다.
그러나 많은 수의 바다거북들이
부화하기 때문에 어느 정도의 수는
안전하게 바다에 도달한다.

바다거북(위)은 수영하기에 적합한 반면
거북(아래)은 발가락으로 걷는다.

늑대거북
Common Snapping Turtle

생태 정보
무게 : 4~16kg
길이 : 등껍질 중앙을
가로질러 20~47cm,
꼬리도 거의 그 길이이다.
성 성숙 : 7~9년
알의 수 : 20~80개,
둥글고 희다.
부화기간 : 9~18주, 새끼들은
둥지에서 겨울을 난다.
먹이 : 작은 포유류, 조류,
다른 파충류, 양서류와
물고기를 먹고 또한 썩은
고기와 수생식물도 먹는다.
수명 : 30~50년

가장 큰 민물 거북 중 하나이며 깨끗하고 소금기 있는 물에서 잘
자란다. 무시무시한 포식자로서 동족을 죽일 수도 있다.

늑대거북의 머리와 다리는 매우 커서 껍질 안으로
움츠릴 수 없다. 윗턱뼈 앞에 독특한 갈고리가 있어
거북의 손에서 미끄러지는 먹잇감을 잡을 수 있게
돕는다. 이들은 공격적인 파충류이며 심지어 짝짓기도
폭력적이다. 그러나 수컷과의 한 번의 만남으로도
암컷은 몇 년 동안 임신할 수 있는 상태이며, 이것은
단독생활을 하는 종에게 이로운 점이다.

세계 어느 곳에?
북미에 서식하는데, 주로 앨버타 남부로부터
노바 스코티아를 거쳐 남쪽으로 미국 전역,
아래로 멕시코 만과 텍사스 중서부에서도 산

얼마나 클까?

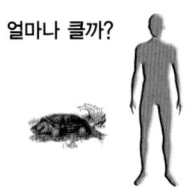

194

머리

머리는 넓고, 필요할 경우
먹이를 잡아서 물밑으로 끌고 갈
수 있는 강력한 턱이 있다.

꼬리

긴 꼬리가 몸의 뒤쪽으로
이어져 있고 끝으로 갈수록
점점 좁아지며, 꼬리를
따라 거친 돌기가 있다.

천연색

거무스름한 모습은
거북의 보호색 역할을 한다.

발

크고 강한 발은
기습적 먹이사냥을 할 때
빠르게 움직일 수 있도록 돕는다.

입

거북은 입안에 이빨이 없음에도 불구하고
갈고리지고 날카로운 턱으로
가죽을 쉽게 자를 수 있다.

성장

새끼는 처음에 미국너구리, 왜가리에서부터
큰 물고기와 악어류에 이르기까지 포식자에게 취약하다.

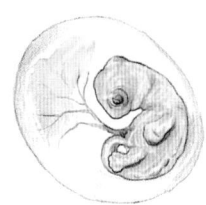

발의 발톱은 땅을 파는데 뿐만 아니라
먹이 획득에도 유용하다.

장수거북
Leatherback Turtle

생태 정보
무게 : 250~900kg
길이 : 등껍질을 가로질러
145~160cm, 지느러미발
사이의 길이는 270cm
성 성숙 : 5~15년
알의 수 : 50~170개.
매 10일마다, 일 년에 최대
7번까지 낳을 수 있고 그 중
절반 정도만 부화한다.
부화 기간 : 55~75일
먹이 : 주로 해파리를 먹지만
갑각류, 두족류와 몇몇
물고기도 먹는다.
수명 : 약 50년

장수거북은 살아있는 거북들 중 가장 큰 거북이다. 그러나
화석 증거는 훨씬 더 큰 종이 한때 바다에 살았음을 보여준다.

장수거북은 바다오염으로 고통 받고 있다. 해파리로
오인해 삼킨 비닐봉지는 치명적인 결과를 가져온다.
그들의 둥지 또한 해안 개발로 인해 사라져 가고 있다.
장수거북이 다른 바다거북들보다 더 차가운 물에서
살 수 있는 것은 피부 아래에 단열 지방층 구조를
가지고 있어서 체온을 유지하도록 돕기 때문이다.

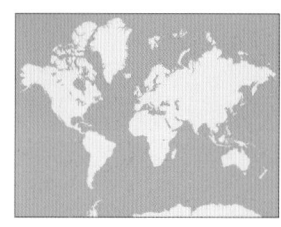

세계 어느 곳에?
북극에 이르기까지 전 세계의 대양에서
서식한다. 둥지가 있는 해변은 열대지방의
프랑스령 기아나에서 서아프리카와
파푸아뉴기니에 이르기까지 존재한다.

얼마나 클까?

뒷지느러미발
상당히 짧지만 넓고, 수영할 때
등딱지 뒤쪽으로 확장된다.

앞지느러미발
거대한 앞지느러미발은
접히면 직각을 이루고,
뒷지느러미발보다
더 길다.

갈고리
거친 날의 턱은
해파리를 잡는데 유용하고
미끄러지지 않게 할 수 있다.

잘못 볼 리 없는 겉모습
장수거북은 다른 거북들과는
매우 다른 외모를 가지고 있다.
뼈가 피부의 아래에 감추어져 있다.

등딱지 구조
거북의 등딱지를 따라 세로로
일곱 개의 뚜렷한 이랑이 있으며
또 다른 다섯 개는 아랫면에 있다.

다른 바다거북들처럼
장수거북은 이빨이 없고
날카로운 턱만을 가지고 있다.

197

붉은귀거북
Red-Eared Terrapin

생태 정보
무게 : 약 907g
길이 : 12.7~27.9cm
성 성숙 : 암컷은 5~7년,
수컷은 3~5년
알의 수 : 4~23개, 여름 동안
한 번에 1~3개의 알을 깐다.
부화 기간 : 60~75일,
3월부터 7월까지 부화한다.
먹이 : 초식성이라 수생식물을
뜯어 먹지만 새끼들은 주로
육식성이라 무척추동물이나
작은 물고기를 사냥한다.
수명 : 최대 30년

이 거북이 속한 담수거북 그룹은 햇볕을 쬐다가도 위험이 닥치면
즉시 물속으로 미끄러져 돌아가는 것으로 알려져 있다.

붉은귀거북은 기온이 빙점까지 내려가면 그들이 사는
웅덩이나 개울 바닥에서 동면하나, 때때로 얼음 아래서
수영하는 것이 관찰되기도 한다. 여름에 성체 암컷은
물가에 둥지를 파고 그곳에 알을 낳으며 알의 존재를
감추기 위해 조심스럽게 덮는다. 새끼 거북들은 부화
직후부터 다양한 포식자들을 직면하게 되는데,
다양한 조류, 포유류는 물론 다른 파충류와 심지어
물고기까지도 포식자에 포함된다.

세계 어느 곳에?
이 아종은 미시시피 강에 국한되어 있고,
일리노이에서 아래로 멕시코 만, 서쪽으로
캔자스와 오클라호마에 걸쳐 있다.

얼마나 클까?

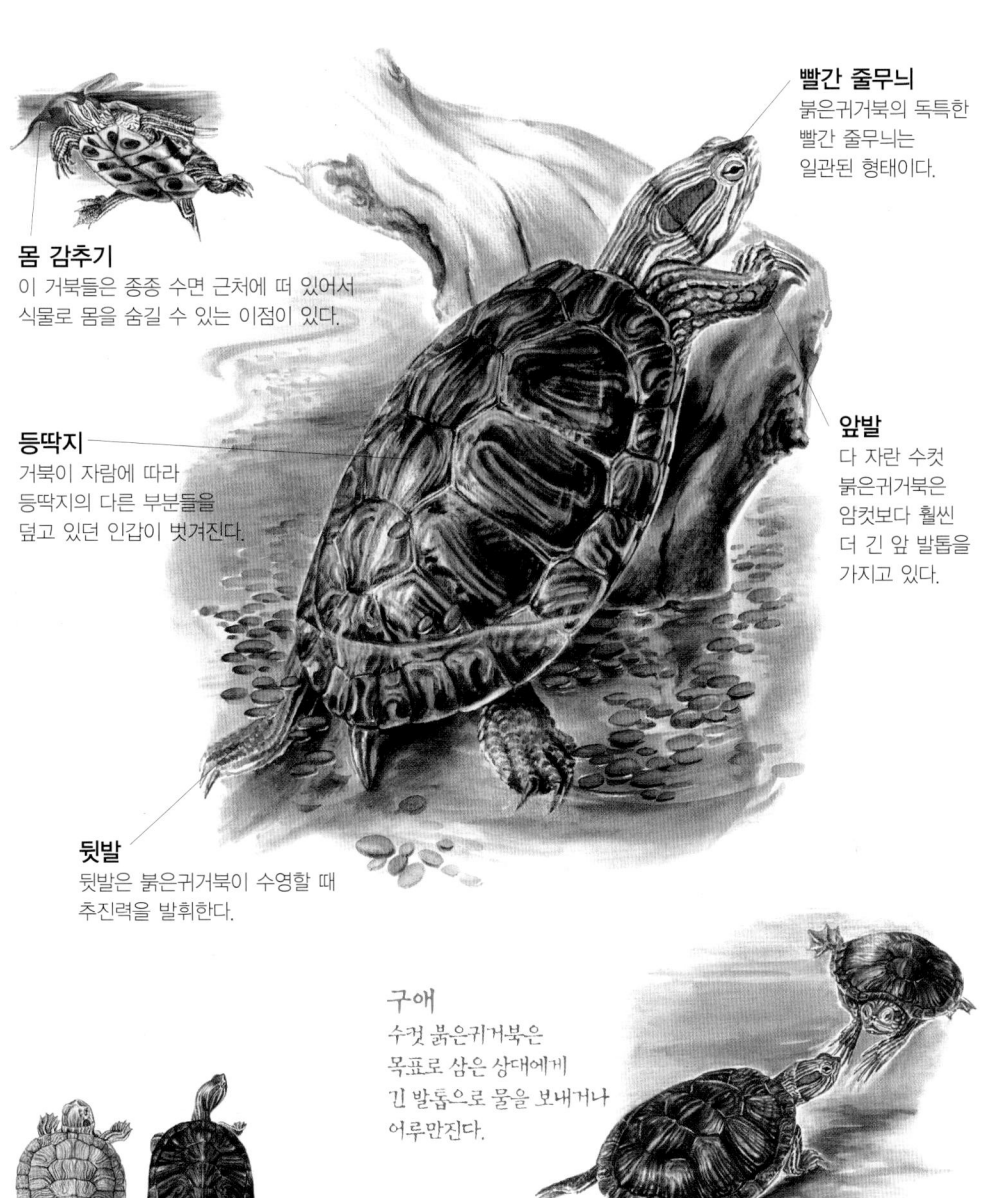

빨간 줄무늬
붉은귀거북의 독특한
빨간 줄무늬는
일관된 형태이다.

몸 감추기
이 거북들은 종종 수면 근처에 떠 있어서
식물로 몸을 숨길 수 있는 이점이 있다.

등딱지
거북이 자람에 따라
등딱지의 다른 부분들을
덮고 있던 인갑이 벗겨진다.

앞발
다 자란 수컷
붉은귀거북은
암컷보다 훨씬
더 긴 앞 발톱을
가지고 있다.

뒷발
뒷발은 붉은귀거북이 수영할 때
추진력을 발휘한다.

구애
수컷 붉은귀거북은
목표로 삼은 상대에게
긴 발톱으로 물을 보내거나
어루만진다.

부화할 때(왼쪽)와 성종(오른쪽).
등딱지 색은 나이가 들수록 짙어진다.

갈라파고스 땅거북
Galápagos Tortoise

생태 정보
무게 : 215~250㎏,
어떤 종은 다른 종보다 크다.
길이 : 등딱지를 가로질러
1.2~1.5m
성 성숙 : 20~25년
알의 수 : 2~19개, 흰색,
1년에 2~3번 알을 낳는다.
부화 기간 : 85~130일
먹이 : 초식성으로 식물을
뜯어먹으며, 선인장 열매를
먹기도 한다.
수명 : 최장 152년(모든
척추동물 중 가장 오래 산 것이다.)

갈라파고스 땅거북은 세계에서 가장 큰 거북으로, 이들이 발생한
섬들에서 크게 번식하며 아프리카의 알다브란 섬에도 살고 있다.

이 군도의 이름은 이 거대한 파충류를 따라 지어졌다
(갈라파고는 스페인어로 '거북' 이라는 뜻이다.). 그러나 발견 이후
1800년대 동안 섬을 찾은 배들이 많은 수를 식량으로
삼았기 때문에 거북의 수가 급격하게 줄었다. 오늘날엔
약 15,000마리의 개체가 여러 섬에 흩어져 살고 있다.
이들이 맨 처음 어떻게 이처럼 먼 화산섬에 도달하게
되었는지는 불분명하지만 아마도 아메리카 대륙
본토에서부터 해류에 의해 옮겨졌을 것으로 생각된다.

세계 어느 곳에?
남아메리카의 북서부 해안의
갈라파고스 섬에 제한되어 있다.
15개의 독특한 품종이 알려져 있고,
그 중 3종은 이제 멸종된 것으로 간주된다.

얼마나 클까?

등딱지
솟은 등딱지는 안장 모양 갈라파고스 땅거북을
나타낸다. 다른 거북들은 반구형의 등딱지를 가진다.

고리
이것들은 나이테가 아니다.
오히려 나이가 들수록
점차 사라진다.

몸단장
공통 선조로부터 진화한
특수화한 되새류가 섬에 살면서
거북이 기생동물 없이 살게
도와준다.

목
긴 목은
키 큰 식물을
뜯어먹을 수
있게 한다.

혀
분홍빛의
두툼한 혀는
입의 바닥 쪽에
놓여 있다.

부화
거북은 알을 깨고 나오기 위해서 난치를 사용하는데
이것은 코에 있는 임시적인 작은 돌기이다. 거북은
먹이를 먹기 전에 난황낭에 남아 있는 것을 빨아 먹는다.

강력한 다리가 이 거대한 거북의 무게를 지탱해 준다.

고퍼거북
Gopher Tortoise

생태 정보
무게 : 4.1kg
길이 : 등딱지의 중앙
부분에서 약 25cm
성 성숙 : 10~15년
알의 수 : 3~15개, 새끼는
어른거북의 축소판이다.
부화 기간 : 70~100일,
온도에 영향을 받는다.
먹이 : 채식주의로 주로
바랭이 같은 식물을 먹고 살며
과일과 딸기류도 먹는다. 썩은
고기를 먹기도 한다.
수명 : 40~60년

서식지를 잃는 것은 고퍼거북들에게 특히 위협이 되는데,
이는 땅속에 긴 굴을 짓는 방식 때문이다.

오늘날 고퍼거북의 선조는 미국에 6천만 년 이상 동안
존재해 왔다. 그리고 세 개의 다른 종들이 그 지역에
생존해 있다. 이들의 놀랄만한 굴은 길이가 최대
12m이다. 굴은 모래 토양 안으로 대략 3m 정도
확장된다. 출입구는 단 하나이며 그 안에서 고퍼거북이
몸을 돌리기 쉽도록 터널을 판다.

세계 어느 곳에?
사우스캐롤라이나 남동부로부터 플로리다,
그리고 멕시코 만을 따라 미시시피, 조지아와
앨라배마까지 미국 남동부 지역들에서
발생한다.

얼마나 클까?

등딱지
반구형이라기보다는 평평하고,
터널 안을 다닐 때는 종종
부드러워진다.

천연색
껍질은 흑갈색이지만
몸 색깔은 더 진하다.

발
발은 강하고 굴을 파기에
유용할 뿐만 아니라
흙을 파내기에도 좋다.

암수 감별
복갑(腹甲)이라 불리는
등딱지 밑면은 약간 오목한
형태로 어른 수컷에게 있다.

구애와 짝짓기
암컷이 짝짓기를 위해
수컷을 받아들일 준비가
되면 등딱지 위로
올라가도록 허락한다.

굴
이 거북들이 만든 굴이 자연계에 대해 가지는
중요성은 360종 이상의 다른 종들이 이들과
함께 살아가는 것이 발견되었을 정도이다.

기후 지역 전도

이 지도를 사용하는 방법

이 지도는 이 책에서 다루는 다양한 동물들이 발견되는
환경의 유형을 나타낸다. 기온은 냉혈동물의 경우에 특히
중요한데 이들은 환경과 관계없이 자신의 체온을 효과적으로
조절할 수 없기 때문이다. 이것은, 어떤 물고기들은 체내에서
내한제 같은 역할을 하는 화학물질을 이용하여
극지방에서 생존하는데도 불구하고, 파충류들은
열대 지역에 특히 많은 이유를 설명해 준다.

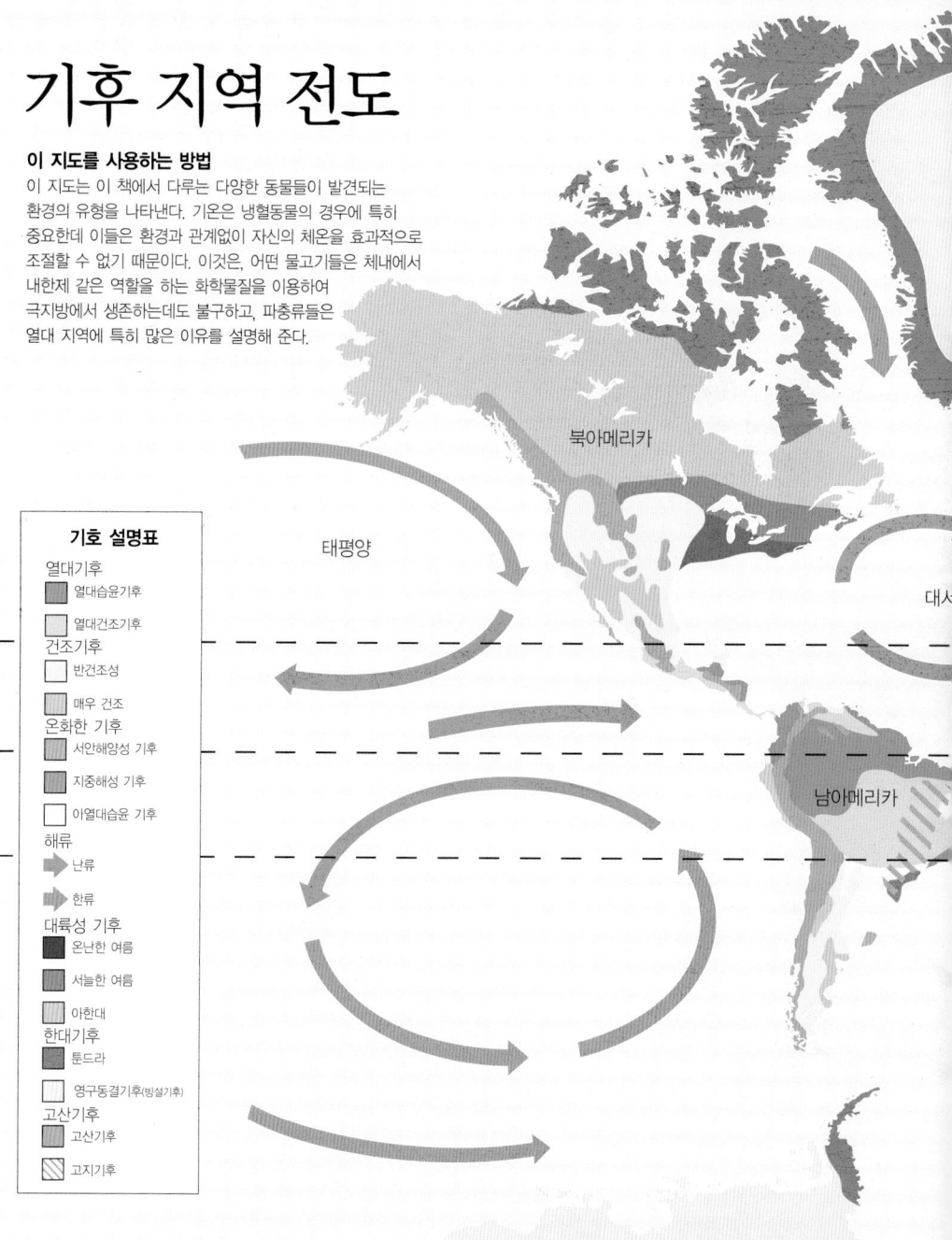

기호 설명표

열대기후
- 열대습윤기후
- 열대건조기후

건조기후
- 반건조성
- 매우 건조

온화한 기후
- 서안해양성 기후
- 지중해성 기후
- 아열대습윤 기후

해류
- 난류
- 한류

대륙성 기후
- 온난한 여름
- 서늘한 여름
- 아한대

한대기후
- 툰드라
- 영구동결기후(빙설기후)

고산기후
- 고산기후
- 고지기후

북아메리카

태평양

대서

남아메리카

북극해

유럽

아시아

태평양

아프리카

북회귀선

적도

인도양

오스트레일리아

남회귀선

남극 대륙

| 찾 | 아 | 보 | 기 |

가나다 순

가랑잎벌레 Leaf Insect 140

갈라파고스 땅거북 Galapagos Tortoise 200

개미귀신 Common Antlion 128

검은과부거미(검은독거미) Southern Black Widow 44

게거미 Crab Spider 46

고퍼거북 Gopher Tortoise 202

굽은가시거미 Curved Spiny Spider 38

그리즈월드 주머니개구리 Griswold's Marsupial Frog 14

그린아나콘다 Green Anaconda 156

그린타이거비틀 Green Tiger Beetle 58

꿀벌 Honeybee 92

나일악어 Nile Crocodile 80

내터잭두꺼비 Natterjack Toad 20

넓은몸사냥꾼잠자리 Broad-Bodied Chaser 132

녹색이구아나 Green Iguana 176

늑대거북 Common Snapping Turtle 194

도깨비도마뱀 Thorny Devil 150

동부 산호뱀 Eastern Coral Snake 166

딸기 독화살개구리 Small Strawberry Dart Frog 22

땅벌 Common Wasp 102

떡갈잎풍뎅이 Common Cockchafer 68

로즈채피(징미꽃풍뎅이) Rose Chafer 74

말벌 European Hornet 100

머드퍼피 Common Mudpuppy 48

멕시코 붉은다리거미 Mexican Red-kneed Tarantula 42

모포나비 Morpho Butterfly 112

목도리도마뱀 Frilled Lizard 148

무어개구리 Moor Frog 30

문짝거미 Trapdoor Spider 40

물거미 Water Spider 34

미국악어 American Alligator 78

민달팽이 Slug 144

바다거북 Green Turtle 192

바다이구아나 Marine Iguana 174

바실리스크이구아나 Plumed Basilisk 160

발칸 녹색도마뱀 Balkan Green Lizard 178

방패벌레 Shield-Backed Bug 90

뱀도마뱀(굼벵이무족도마뱀) SlowWorm 152

번개 오색나비 Purple Emperor 108

벽도마뱀 Common Wall Lizard 180

보아뱀 Boa Constrictor 154

붉은 산림개미 Red Wood Ant 98

붉은귀거북 Red-Eared Terrapin 198

붉은제독나비 Red Admiral Butterfly 114

블랙맘바 Black Mamba 164

사마귀 Praying Mantis 126

사슴벌레 Stag Beetle 66

사향하늘소 Musk Beetle 60

산파개구리 Common Midwife Toad 24

산호랑나비 Western Tiger Swallowtail Butterfly 118

서양땅뒤영벌 Buff-Tailed Bumblebee 94

송장벌레 Gravedigger Beetle 76

쇠똥구리 Dung Beetle 72

식용달팽이 Edible Snail 142

싱글백도마뱀 Shingleback Skink 184

아메리카 독도마뱀 Gila Monster 172

아메리카 황소개구리 American Bullfrog 32

아폴로 모시나비 Apollo Butterfly 120

알파인 살라맨더 Alpine Salamander 50

알파인뉴트 Alpine Newt 54

왕나비 Monarch Butterfly 110

유럽북살모사 European Adder 190

유럽장수풍뎅이 European Rhinoceros Beetle 70

유럽정원거미 European Garden Spider 36
유럽 푸른부전나비 Common Blue Butterfly 106
유럽두꺼비 European Toad 18
유럽지렁이 Common European Earthworm 88
유럽청개구리 European Treefrog 26
유럽카멜레온 European Chameleon 158
인도가비알 Gharial 82
인도왕뱀 Indian Python 182
장수거북 Leatherback Turtle 196 96
쟁기발두꺼비 Common Spadefoot Toad 28
중베짱이 Great Green Bush Cricket 138
지중해전갈(랑그독전갈) Mediterranean Scorpion 146
집게벌레 Common Earwig 84
집파리 Common House Fly 86
칠성무당벌레 Seven-Spot Ladybird 62
코모도왕도마뱀 Komodo Dragon 186
퀸 알렉산드라 버드윙 Queen Alexandra's Birdwing 116
큰물방개 Great Diving Beetle 64
킹코브라 King Cobra 168
터마이트 Termite 104
텍사스 방울뱀 Texan Rattlesnake 188
토케이 게코 Tokay Gecko 170
파이어 살라맨더 Fire Salamander 52
폭탄먼지벌레 Bombardier Beetle 56
푸른날개메뚜기 Blue-winged Grasshopper 136
풀뱀 Grass Snake 162
필드귀뚜라미 Field Cricket 134
할리퀸두꺼비 Pebas Stubfoot Toad 16
해골박각시 Death's Head Hawkmoth 122
행군개미(군대개미) Foraging Ant 96
황제나방 Emperor Moth 124
황제잠자리 Emperor Dragonfly 130

ABC 순

Alpine Newt 알파인뉴트 54
Alpine Salamander 알파인 살라맨더 50
American Alligator 미국악어 78
American Bullfrog 아메리카 황소개구리 32
Apollo Butterfly 아폴로 모시나비 120
Balkan Green Lizard 발칸 녹색도마뱀 178
Black Mamba 블랙맘바 164
Blue-winged Grasshopper 푸른날개메뚜기 136
Boa Constrictor 보아뱀 154
Bombardier Beetle 폭탄먼지벌레 56
Broad-Bodied Chaser 넓은몸사냥꾼잠자리 132
Buff-Tailed Bumblebee 서양땅뒤영벌 94
Common Antlion 개미귀신 128
Common Blue Butterfly 유럽 푸른부전나비 106
Common Cockchafer 떡갈잎풍뎅이 68
Common Earwig 집게벌레 84
Common European Earthworm 유럽지렁이 88
Common House Fly 집파리 86
Common Midwife Toad 산파개구리 24
Common Mudpuppy 머드퍼피 48
Common Snapping Turtle 늑대거북 194
Common Spadefoot Toad 쟁기발두꺼비 28
Common Wall Lizard 벽도마뱀 180
Common Wasp 땅벌 102
Crab Spider 게거미 46
Curved Spiny Spider 굽은가시거미 38
Death's Head Hawkmoth 해골박각시 122
Dung Beetle 쇠똥구리 72
Eastern Coral Snake 동부 산호뱀 166
Edible Snail 식용달팽이 142
Emperor Dragonfly 황제잠자리 130

Emperor Moth 황제나방 124

European Adder 유럽북살모사 190

European Chameleon 유럽카멜레온 158

European Garden Spider 유럽정원거미 36

European Hornet 말벌 100

European Rhinoceros Beetle 유럽장수풍뎅이 70

European Toad 유럽두꺼비 18

European Treefrog 유럽청개구리 26

Field Cricket 필드귀뚜라미 134

Fire Salamander 파이어 살라맨더 52

Foraging Ant 행군개미(군대개미) 96

Frilled Lizard 목도리도마뱀 148

Galapagos Tortoise 갈라파고스 땅거북 200

Gharial 인도가비알 82

Gila Monster 아메리카 독도마뱀 172

Gopher Tortoise 고퍼거북 202

Grass Snake 풀뱀 162

Gravedigger Beetle 송장벌레 76

Great Diving Beetle 큰물방개 64

Great Green Bush Cricket 중베짱이 138

Green Anaconda 그린아나콘다 156

Green Iguana 녹색이구아나 176

Green Tiger Beetle 그린타이거비틀 58

Green Turtle 바다거북 192

Griswold's Marsupial Frog 그리즈월드 주머니개구리 14

Honeybee 꿀벌 92

Indian Python 인도왕뱀 182

King Cobra 킹코브라 168

Komodo Dragon 코모도왕도마뱀 186

Leaf Insect 가랑잎벌레 140

Leatherback Turtle 장수거북 196

Marine Iguana 바다이구아나 174

Mediterranean Scorpion 지중해전갈(왕그독전갈) 146

Mexican Red-kneed Tarantula 멕시코 붉은다리거미 42

Monarch Butterfly 왕나비 110

Moor Frog 무어개구리 30

Morpho Butterfly 모포나비 112

Musk Beetle 사향하늘소 60

Natterjack Toad 내터잭두꺼비 20

Nile Crocodile 나일악어 80

Pebas Stubfoot Toad 할리퀸두꺼비 16

Plumed Basilisk 바실리스크이구아나 160

Praying Mantis 사마귀 126

Purple Emperor 번개 오색나비 108

Queen Alexandra's Birdwing 퀸 알렉산드라 버드윙 116

Red Admiral Butterfly 붉은제독나비 114

Red Wood Ant 붉은 산림개미 98

Red-Eared Terrapin 붉은귀거북 198

Rose Chafer 로즈채퍼(장미꽃풍뎅이) 74

Seven-Spot Ladybird 칠성무당벌레 62

Shield-Backed Bug 방패벌레 90

Shingleback Skink 싱글백도마뱀 184

SlowWorm 뱀도마뱀(금뱀이무족도마뱀) 152

Slug 민달팽이 144

Small Strawberry Dart Frog 딸기 독화살개구리 22

Southern Black Widow 검은과부거미(검은독거미) 44

Stag Beetle 사슴벌레 66

Termite 터마이트 104

Texan Rattlesnake 텍사스 방울뱀 188

Thorny Devil 도깨비도마뱀 150

Tokay Gecko 토케이 게코 170

Trapdoor Spider 문짝거미 40

Water Spider 물거미 34

Western Tiger Swallowtail Butterfly 산호랑나비 118